W9-DCC-227

Biblioteka
POLIHISTOR
Knjiga XXIV

Jelena Erdeljan

Balkan i Mediteran

Glavni i odgovorni urednik
Bojana Ćebić

Likovni urednik
Dušan Šević

Recenzenti
prof. dr Marica Šuput, redovni profesor Filozofskog fakulteta
Univerziteta u Beogradu u penziji
prof. dr Marina Vicelja Matijašić, redovni profesor Filozofskog fakulteta
Sveučilišta u Rijeci
prof. dr Svetlana Tomin, redovni profesor Filozofskog fakulteta
Univerziteta u Novom Sadu

Knjiga je nastala kao rezultat istraživanja obavljenih u okviru projekta br. 177015 koji podržava Ministarstvo prosvete, nauke i tehnološkog razvoja Republike Srbije, Hrišćanska kultura na Balkanu u srednjem veku: Vizantijsko carstvo, Srbi i Bugari od početka IX do početka XV veka.

Jelena Erdeljan

Balkan i Mediteran

Kulturni transfer i vizuelna kultura u srednjovekovno i rano moderno doba

Za Borivoja

Η ΠΟΛΙΣ

Είπες· «Θα πάγω σ' άλλη γη, θα πάγω σ' άλλη θάλασσα.
Μια πόλις άλλη θα βρεθεί καλλίτερη από αυτή.
Κάθε προσπάθεια μου μια καταδίκη είναι γραφτή·
κ' είν' η καρδιά μου — σαν νεκρός — θαμένη.
Ο νους μου ως πότε μες στον μαρασμόν αυτόν θα μένει.
Όπου το μάτι μου γυρίσω, όπου κι αν δω
ερείπια μαύρα της ζωής μου βλέπω εδώ,
που τόσα χρόνια πέρασα και ρήμαξα και χάλασα.»

Καινούριους τόπους δεν θα βρεις, δεν θάβρεις άλλες θάλασσες.
Η πόλις θα σε ακολουθεί. Στους δρόμους θα γυρνάς
τους ίδιους. Και στες γειτονιές τες ίδιες θα γερνάς·
και μες στα ίδια σπίτια αυτά θ' ασπρίζεις.
Πάντα στην πόλι αυτή θα φθάνεις. Για τα αλλού — μη ελπίζεις—
δεν έχει πλοίο για σε, δεν έχει οδό.
Έτσι που τη ζωή σου ρήμαξες εδώ
στην κώχη τούτη την μικρή, σ' όλην την γη την χάλασες.

Κωνσταντίνος Καβάφης

GRAD

Kažeš: „Poći ću u neku drugu zemlju, poći ću do drugog mora.
Naći će se drugi grad bolji od ovog.
Svaki moj napor je ovde proklet, osuđen;
i srce mi je — kao leš — pokopano.
Dokle će mi um ostati u ovoj tmini.
Kud god da skrenem pogled, kud god da pogledam,
crne ruševine svog života spazim, ovde,
gde sam proveo tolike godine, proćerdao ih i upropastio."

Nove zemlje nećeš naći, nećeš pronaći druga mora.
Ovaj grad će te pratiti. Ulicama ćeš se kretati
istim. U istom ćeš susedstvu ostariti:
u istim ćeš kućama osedeti.
Uvek ćeš u ovaj grad stizati. Da nekud drugde odeš — ne nadaj se —
nema za tebe broda, nema puta.
Kao što si svoj život ovde proćerdao, u ovom tako malom kutu,
straćio si ga i na celoj kugli zemaljskoj.

Konstantin Kavafi

Reč autora

Ova knjiga nastala je kao jedan od odgovora na podsticaje proizašle iz višedecenijskog istraživanja različitih vidova vizuelne kulture Balkana i njegovih kontakata sa mediteranskim svetom.[1] Za njen nastanak posebno su važni podsticaji vezani za sve aktivnosti koje su se tokom proteklih dvanaest godina postojanja međunarodne akademske radionice „Jevrejska umetnost i tradicija", kao i u okviru delovanja Centra za studije jevrejske umetnosti i kulture, odvijale na Filozofskom fakultetu Univerziteta u Beogradu. Naročito je u tom smislu važno napomenuti periodično objavljivanje zbornika radova *Menora*, te organizovanje i realizaciju niza međunarodnih konferencija koje su u Beogradu održane kao rezultat saradnje sa mnogim univerzitetima sa Balkana i Mediterana.

Godine 2011. održana je na Filozofskom fakultetu međunarodna konferencija „Common Culture and Particular Identities" u saradnji sa Univerzitetom Ben Gurion u Negevu,[2] a tri godine kasnije i „Visual Culture of the Balkans: State of Research and Further Directions".[3] Godine 2016. održana je Treća međunarodna konferencija studenata doktorskih studija i mladih doktoranada „Migrations in Visual Culture", a radovi sa te konferencije objavljeni su u ediciji „Pontes Academici" kao rezultat saradnje univerziteta iz Ljubljane, Splita, Rijeke i Beograda.[4] Naredne godine, u saradnji sa Univerzitetom Ben Gurion u Negevu,

---

[1] Knjiga je rezultat istraživanja obavljenih u okviru projekta br. 177015 *Hrišćanska kultura na Balkanu u srednjem veku: Vizantijsko carstvo, Srbi i Bugari od početka 9. do početka 15. veka*, koji podržava Ministarstvo prosvete, nauke i tehnološkog razvoja Republike Srbije, a kojim rukovodi prof. dr Vlada Stanković, šef Seminara za vizantologiju Filozofskog fakulteta Univerziteta u Beogradu.

[2] *Common Culture and Particular Identities: Christians, Jews and Muslims in the Ottoman Balkans*, ur. E. Papo, N. Makuljević, *El Prezente. Studies in Sephardic Culture*, Vol. 7, *Menorah. Collection of Papers*, Vol. 3, Ben-Gurion University of the Negev, Faculty of Philosophy, University of Belgrade, 2013.

[3] *Visual Culture of the Balkans: State of Research and Further Directions, Abstracts of Papers*, ur. N. Makuljević, Faculty of Philosophy, University of Belgrade, 2014.

[4] *Migrations in Visual Art*, ur. J. Erdeljan, M. Germ, I. Prijatelj Pavičić, M. Vicelja Matijašić, Faculty of Philosophy, University of Belgrade, 2018.

održana je na Filozofskom fakultetu u Beogradu međunarodna konferencija „Creating Memories in Early Modern and Modern Art and Literature".[5]

Poseban podsticaj istraživanjima čiji se jedan aspekt i deo predstavlja čitaocima u ovoj knjizi proizlazi iz angažovanja autora na projektu, kao i na osmišljavanju istraživačke platforme „North of Byzantium",[6] te saradnje i živih rasprava vođenih tokom proteklih godina sa organizatorima, učesnicima i akademskom publikom prisutnom na međunarodnom simpozijumu „Eclecticism at the Edges: Medieval Art and Architecture at the Crossroads of the Latin, Greek, and Slavic Cultural Spheres (c. 1300. — c. 1550)" održanom na Univerzitetu Prinston u aprilu 2019. godine.[7]

I ovim putem želim da izrazim svoju duboku zahvalnost prof. dr Marici Šuput, prof. dr Elki Bakalovoj i prof. dr Barbari Baert za neprekidnu podršku svim mojim istraživačkim putevima koji će, nadam se, i ovom knjigom približiti mesto njenog nastanka uz obalu Dunava, moru u središtu zemlje.

J. E. Beograd, april 2019.

---

[5] *International Conference Creating Memories in Early Modern and Modern Art and Literature. Abstracts of Papers*, ur. N. Makuljević, E. Papo, J. Erdeljan, Faculty of Philosophy, University of Belgrade, 2017.

[6] https://www.northofbyzantium.org/

[7] https://www.northofbyzantium.org/2019/02/17/eclecticism-at-the-edges-symposium/

Poglavlje I

Prolog

1. Termini i koncepti

Mediteran, ime izvedeno iz latinskih reči *medius* i *terra*, označava more u središtu zemlje. Termin su skovali Rimljani. Prema svedočenju Isidora iz Sevilje iz VI veka, u latinskoj književnosti i izvorima javlja se tek u III veku n. e., kod geografa Solina. I pre tog vremena, razume se, delovi Mediterana su nosili svoja posebna imena, Tirensko, Jonsko, Jadransko i Egejsko more. I sami Rimljani su isprva o čitavom moru govorili kao o *mare magnum*-u (Velikom moru), *mare internum*-u (Unutrašnjem moru) ili *mare nostrum*-u (Našem moru). Od vremena pozne antike, *mare mediterraneum* postaje najrasprostranjeniji naziv.[1]

Pre Rimljana, u antičko doba, već su Heleni dobro poznavali more u središtu zemlje i delili ga, na osnovu prirodnih svojstava i uslova koji su određivali nasušno važnu plovidbu njegovim prostranstvom, na tri dela: istočni — sa severnim i jesenjim vetrovima od Dalmacije ka Jadranu (Bora) i onim iz afričke pustinje ka Egejskom moru (Široko); centralni — sa južnim vetrovima između Italije i Iberijskog poluostrva (izuzev maestrala), te severnim i severozapadnim vetrovima u Tirenskom moru; i zapadni — od Gibraltara do Baleara, sa istočnim vetrovima. Helenska civilizacija ili, možda, pre helenska zajednica (*koine*) na

[1] Osnovna studija o Mediteranu i mediteranskom svetu: F. Braudel, *La Méditerranée et le Monde Méditerranéen à l'Epoque de Philippe II*, Paris 1949 = F. Brodel, *Mediteran i mediteranski svet u doba Filipa II*, Beograd 2001. Tokom protekle dve decenije objavljeno je više izuzetno važnih, inovativnih i metodološki za ovu studiju relevantnih studija i zbornika naučnih radova o Mediteranu, među kojima najpre navodimo: P. Horden, N. Purcell, *The Corrupting Sea: A Study of Mediterranean History*, Oxford 2000; *Rethinking the Mediterranean*, ur. William V. Harris, Oxford 2005; D. Abulafia, *The Great Sea, A Human History of the Mediterranean*, Oxford 2011. Vid. takođe F. Meijer, *A History of Seafaring in the Classical World*, London 1986; P. Horden, N. Purcell, "The Mediterranean and 'the New Thalassology'", *The American Historical Review* 111/3, 2006, 722—740; *A Companion to Mediterranean History*, ur. P. Horden, S. Kinoshita, Wiley Blackwell 2014; *The Inland Seas. Towards an Ecohistory of the Mediterranean and the Black Sea*, ur. T. Bekker-Nielsen, R. Gertwagen, Stuttgart 2016; M. O'Connell, E. R. Dursteler, *The Mediterranean World: From the Fall of Rome to the Rise of Napoleon*, Johns Hopkins University Press, Baltimore 2016; *Can We Talk Mediterranean? Conversations on an Emerging Field in Medieval and Early Modern Studies*, ur. B. A. Catlos, S. Kinoshita, Palgrave Macmillan 2017, sa starijom literaturom.

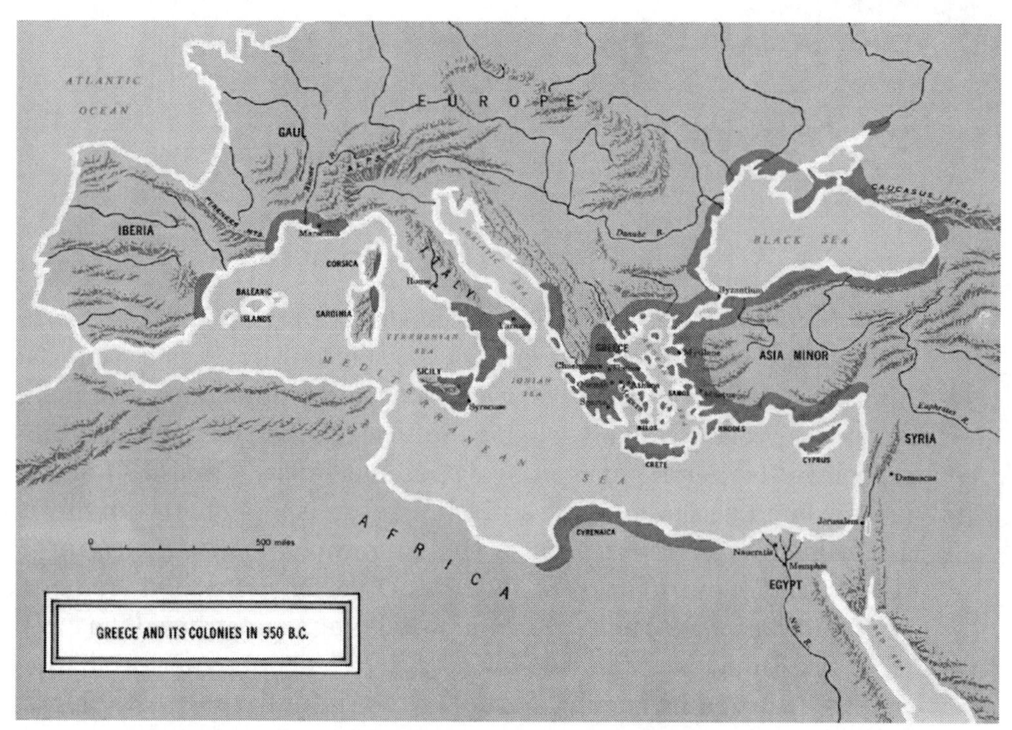

Slika 1. Grčke kolonije na Mediteranu u VI veku p. n. e

istočnom i centralnom Mediteranu, u Maloj Aziji, na Balkanu i Apeninskom poluostrvu, nastala je upravo u trenutku kad je počela da se širi tim prostorom. Bilo je to u arhajskom periodu, od VIII do V veka p. n. e., u vreme kad su se Heleni selili i osnivali zajednice na sve širim horizontima koji su se prostirali od zapadnog Mediterana do istočnih obala Crnog mora (Slika 1). U tom pomorskom svetu bili su međusobno povezani prostranstvima zajedničkog iako nikad posedovanog Mediterana. Sredozemno i Crno more Grci su ponekad nazivali *he nemetera thalassa* (naše more), ali samo u metaforičkom smislu. Latinski ekvivalent *mare nostrum* imao je sasvim suprotno značenje budući da je Rim polagao pravo na more koje je „pripadalo" Carstvu i njegovoj prestonici. Za razliku od Grka koji su ga gledali „iznutra", čiji je pogled bio usmeren sa različitih stajnih tačaka, kolonija i polisa načičkanih duž njegovih obala koje su bile okrenute jedna drugoj, „ka unutra", ka moru, Rimljani su ga gledali iz jednog centra, iz prestonice iz — Rima, dakle „spolja".[2] Tako kod Cicerona (Cicero, de Rep. 2.9) nailazimo na tvrdnju

[2] I. Malkin, *A Small Greek World. Networks in the Ancient Mediterranean*, Oxford University Press 2011, 3—5.

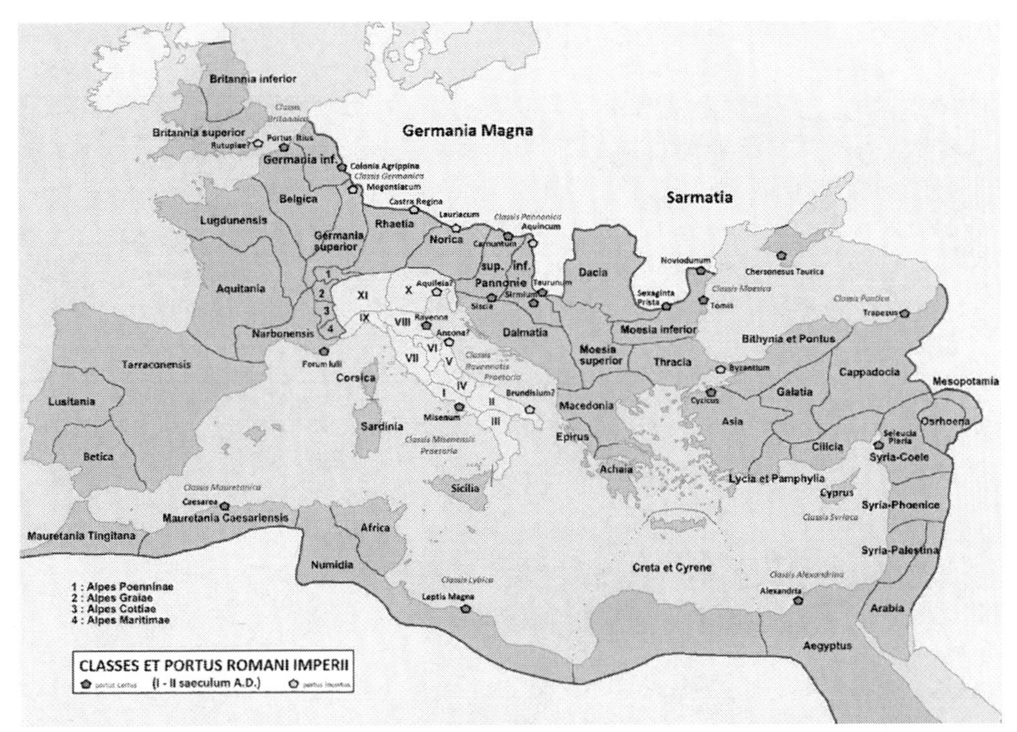

Slika 2. Mapa glavnih luka flote Rimskog carstva u I i II veku n. e.

da su obale Grčke poput poruba ili obruba prišivenog na zemlje varvara, dok Platon (Plato, Phaido, 109a—b) upoređuje Helene sa žabama koje žive oko bare. Te su „žabe", ili pak šavovi ovog poruba, bile stotine helenskih polisa i kolonija koje su se od arhajskog vremena prostirale od zapadnog Mediterana do istočnih krajeva Crnog mora. Stoga se more, ili Platonova bara, zapravo nalazilo u samom srcu grčke *koine*. Ono je doživljavano kao jedinstveno prostranstvo koje je povezivalo i umrežavalo helenske naseobine, polise i kolonije, od Fasisa (Phasis), arhajske kolonije građana Mileta u Kolhidi osnovane u VII ili VI veku p. n. e., na ušću istoimene reke u Crno more, na mestu današnjeg gruzijskog lučkog grada Potisa,[3] do Heraklovih stubova, današnjeg Gibraltara koji ga spaja sa Atlantikom, ili bolje reći njime napaja, bez koga bi ovo more u središtu zemlje brzo presušilo.[4]

[3] M. H. Hansen, T. H. Nielsen, *An Inventory of Archaic and Classical Poleis*, Oxford University Press 2004, 953.

[4] R. W. Clement, "The Mediterranean: What, Why, and How", *Mediterranean Studies* 20/1 (2012), 114—120, sa spiskom instituta i centara za mediteranske studije, kao i specijalizovane periodike.

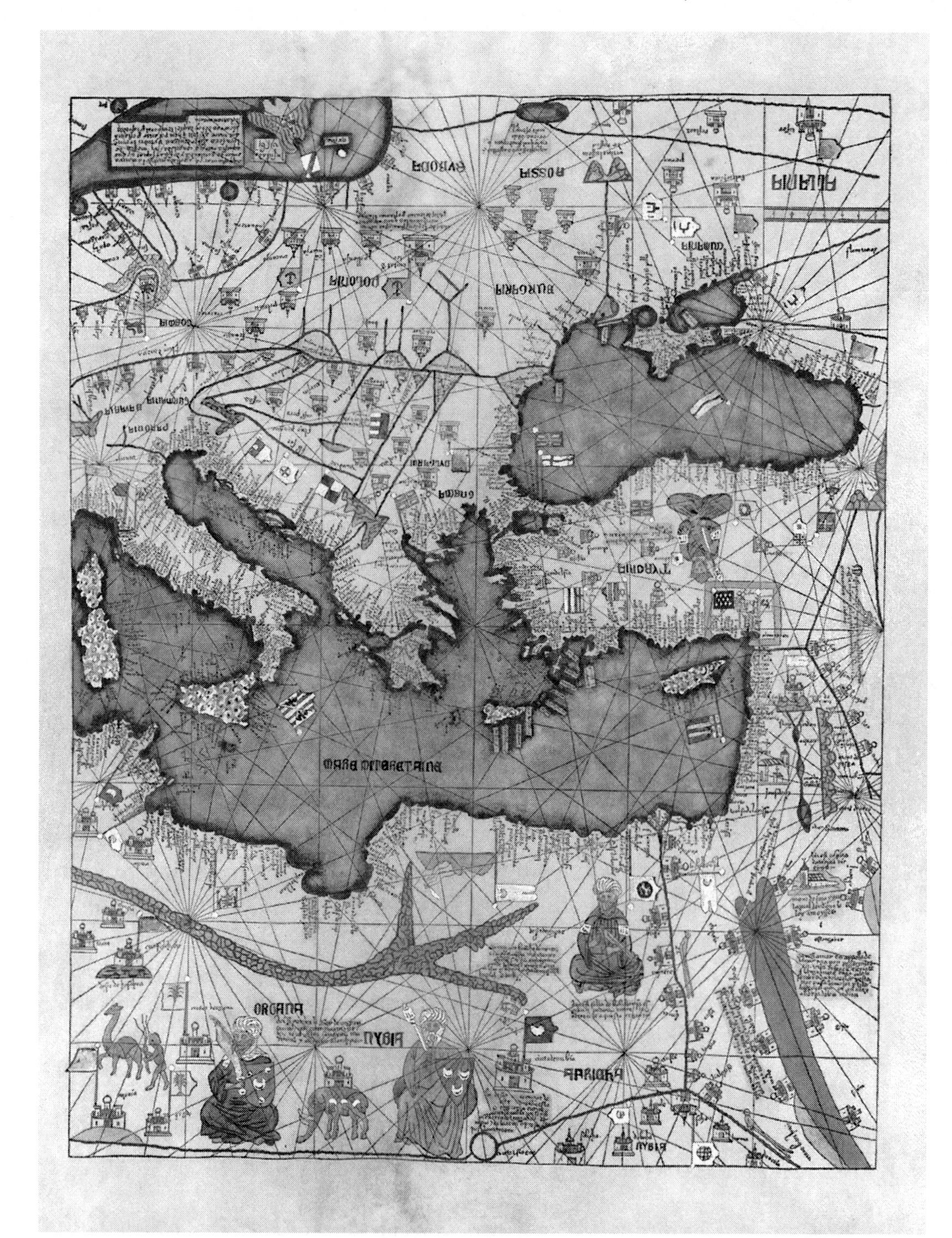

Slika 3. Mapa istočnog Mediterana i Balkana iz 1375, Atlas Catalan

Razmatrajući dva ključna elementa prirodnog okruženja i prirodne datosti mediteranskog sveta koji istovremeno i određuju njegovu istoriju, Nikolas Parsel i Peregrin Horden lapidarno su sveli svoje zaključke na činjenicu da more povezuje, a kopno razdvaja.[5] Kad je u pitanju to kopno koje, kako Brodel kaže, takođe definiše Mediteran, uz Malu Aziju i Afriku tu je i kompleks (evropskih) poluostrva — Iberijsko, Apeninsko i Balkansko. Među njima, Balkansko je najneposrednije, kopnom i morem, Egejskim ostrvima, vezano za ogromnu masu evroazijskog tla (Slika 3). Sedma knjiga Strabonove *Geografije*, napisane u I veku n. e. u vreme Avgusta i Tiberija, do 23. godine n. e., daje podatke o strateški važnim oblastima koje se nalaze južno od Dunava i protežu između Jadranskog i Crnog mora.[6] Ključna antropogeografska istraživanja Jovana Cvijića (Slika 4) odredila su kulturne i antropogeografske zone tog prostora na severnu i južnu zonu dinarskog tipa. Tako je već Cvijić ustanovio da je, u oblasti dinarsko-mediteranskog tipa, južna zona Balkana pod uticajem mediteranske klime i romansko-mediteranske kulture.[7]

Uprkos geografskoj i civilizacijskoj povezanosti Balkana sa Mediteranom, u zapadnoj istoriografiji koncept Mediterana, i mora uopšte,kao metafore fluidnosti i otvorenosti, zone kontakta, preplitanja, razmene, liminalnosti i hibridnosti, i koncept Balkana tj. planine kao barijere i samoizolovanosti, gotovo da su potpuno suprotstavljeni.[8] Mediteran kao mesto nastajanja onoga što istoriografija naziva zapadnom civilizacijom i Balkan kao mesto njenog navodnog ukidanja, nestajanja, zalaska ili pomračenja gotovo da stoje u opoziciji.[9] Međutim, integralna povezanost Balkana i Mediterana, geografska i kulturna,[10] ali i optika novih, postkolonijalnih pristupa i kritičkih teorija u društve-

[5] P. Horden, N. Purcell, *The Corrupting Sea: A Study of Mediterranean History*, 101; I. Malkin, *A Small Greek World*, 15—16.

[6] М. Обрадовић, *Страбон из Амасије. Историчар и географ*, Еволута, Београд 2018.

[7] J. Cvijić, *La péninsule balkanique: géographie humaine*, Paris 1918 = J. Cvijić, *Balkansko poluostrvo i južnoslovenske zemlje*, Beograd 1922.

[8] P. Horden, N. Purcell, *The Corrupting Sea: A Study of Mediterranean History*, 101. Vid. takođe A. Shalem, "'Beautiful minds': Henri Pirenne, Ernst Herzfeld and the Mediterranean", u: *The Idea of the Mediterranean*, ur. M. B. Mignone, Stony Brook, New York 2017, 81—113.

[9] M. Todorova, *Imagining the Balkans*, Oxford University Press 1997. Vid. takođe W. D. Mignolo, *Local Histories / Global Designs. Coloniality, Subaltern Knowledges, and Border Thinking*, Princeton University Press 2012.

[10] T. Stoianovich, *Between East and West: The Balkan and the Mediterranean Worlds*, Vol. 1—4, A. D. Caratzas 1992.

nim i humanističkim naukama koji ponovo promišljaju pitanja identiteta, društva i nacionalne pripadnosti, poput pristupa Homija Babe, oslanjaju se na koncepte kao što su hibridnost, liminalnost, intersticijalnost, kako bi naglasili da je kulturna produkcija uvek najviše živa upravo tamo gde je polivalentna.[11] Već i Cvijićeva svest o implikovanom negativnom tonu imena Balkan, ali i njegovi zaključci o klimatskom i kulturnom stapanju Balkana i Mediterana, ukazuju na potrebu da svako proučavanje ovog mediteranskog poluostrva mora započeti temeljnim pretresanjem i rekonceptualizacijom termina Balkan koji, u zapadnoj istoriografiji i književnosti, od XIX veka sve do današnjih dana, nosi izrazito pežorativne konotacije i pečat drugosti koji mu je utisnut iz vizure orijentalizma zapadnoevropske civilizacije postprosvetiteljskog vremena.[12]

Slika 4. Jovan Cvijić (1865—1927)

Termin Balkan zabeležen je prvi put u zapadnoj putopisnoj i epistolarnoj književnosti 1794. godine. Pošto je na putu ka Carigradu prošao preko prevoja Šipka, Džon Morit je u pismu koje je uputio sestri u Engleskoj — gde je upravo završio studije na Kembridžu i odakle se uputio ka istoku — napisao kako je prešao preko planine koja deli Bugarsku od Rumunije a koja, „premda danas unižena nazivom Balkan" (što na turskom znači 'šumovita planina'), predstavlja nikog drugog do

[11] H. Bhabha, *The Location of Culture*, Routledge, New York 1994; Isti, "On Disciplines and Destinations", u: *Territories and Trajectories. Cultures in Circulation*, ur. Diana Sorensen, Duke University Press, Durham—London 2018, 1—12. Vid. posebno J. Elkins, "Afterword", u: *Circulations in the Global History of Art*, ur. T. DaCosta Kaufmann i dr., Routledge 2015, 203—229.

[12] Z. Blažević, "Globalizing the Balkans. Balkan Studies as a Transnational/Translational Paradigm", *Kakanienrevisited* 22/06/2009; K. Kaser, "Balkan Studies Today at the University of Graz (and elsewhere)", *Kakanienrevisited* 20/02/2009; N. Makuljević, "The Picture of the Balkans between Orientalism and Nationalism", u: *Europe and the Balkans. Decades of 'Europeanization'?*, ur. T. Zimmermann, A. Jakir, Verlag Königshausen&Neumann GmbH, Würzburg 2015, 107—118.

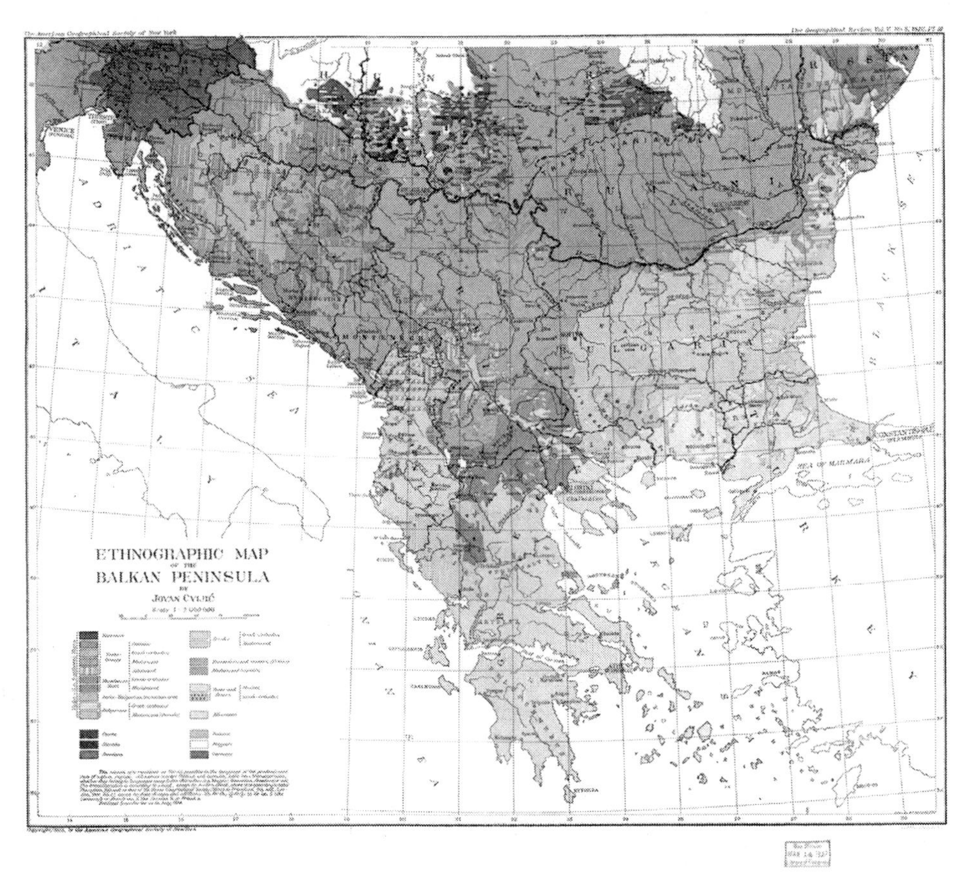

Slika 5. Etnografska mapa Balkana Jovana Cvijića

stari, od antičkih vremena poznati *Haemus*.[13] Svi prethodni putopisci iz zapadnih krajeva koristili su isključivo naziv Hemus za planinski venac koji se prostire paralelno sa Dunavom i preseca Bugarsku od istoka ka zapadu. S početkom XIX veka ova dva naziva koriste se uporedo. Nakon 1820. godine, termin Balkan preovladava, premda još uvek nije i jedini. Pojedini putopisi, poput onog Roberta Volša iz 1827. godine, ponavljaju odranije iskazana pogrešna uverenja kako se Hemus, koji on naziva Balkanom, što po njemu znači 'teška planina', pruža na prostoru od preko 500 milja, od Venecije do Crnog mora.[14]

Termin Balkansko poluostrvo prvi je upotrebio nemački geograf Johan August Cojne (Johann August Zeune) 1808. godine. U klasičnoj

[13] M. Todorova, "The Balkans: From Discovery to Invention", *Slavic Review* Vol. 53, No. 2, 1994, 453—482, posebno 461—462.

[14] Isto, 463.

antici zapadni deo ovog poluostrva bio je poznat kao Ilirikum a istočni kao Trakija. Romejsko carstvo koje je bez prekida trajalo na Balkanu do pada Carigrada 1453. godine, dalo je ime Rumelija, kojim je ovaj prostor bio nazivan u Osmanskom carstvu. U XVIII veku evropski putnici nazivali su ga i Turskom u Evropi. Na prelazu XIX u XX vek poluostrvo na jugoistoku Evrope — koje je do tada nazivano Helenskim, Grčkim, Ilirskim, Rimskim, Vizantijskim, Južnoslovenskim ili Jugoistočnoevropskim poluostrvom, kao i delom mediteranske ili delom Dunavske Evrope — dobija naziv Balkansko poluostrvo ili, jednostavno, Balkan, više iz političkih nego iz geografski utemeljenih razloga.[15]

Namesto primene i identifikacije Balkana kao merila za inkluziju/ekskluziju ili izopštavanje, ovaj termin bi trebalo posmatrati kao fleksibilan, dinamičan i relacionalni heuristički koncept u okvirima onoga što se naziva „the spatial turn" (prostorni obrt)[16] koji otvara mogućnosti kritičkog i autorefleksivnog promišljanja o prostoru sa više stajnih tačaka i iz više različitih perspektiva. Fukoov koncept heterotopije, tačke, mesta ili prostora koji može da sadrži i obuhvati više jukstaponiranih prostora koji su po sebi inkompatibilini, mogao bi se, kao i onaj Bahtinove heteroglosije, primeniti u razmišljanju o Balkanu i Mediteranu kao prostoru religijske, kulturne, ekonomske, političke, individualne i kolektivne interakcije, prožimanja i preklapanja u svim pripadajućim istorijskim procesima *longue durée*. Stoga Balkan kao heterotopiju treba posmatrati kao prostor hibridnih društvenih, kulturnih, religijskih i ekonomskih formi i mreža konektivnosti koje ga izvode daleko od predrasudama dodeljenog mu mesta marginalizovanog večitog drugog i postavljaju u žižu čvorišta koje se vezuje za glavne tokove na širokom evroazijskom prostoru.[17]

Kao istorijsko-geografska odrednica (i) Mediteran, čiji je Balkan integralni deo, obuhvata različite etničke, religijske i kulturne zajednice tokom različitih vremenskih, istorijskih razdoblja (Slika 5). Stoga Me-

[15] T. Stoianovich, *Balkan Worlds: The First and Last Europe*, Routledge, New York 1994, o istoriji upotrebe naziva Balkan vid. posebno „Introduction", 1—5; K. Kaser, *Südosteuropäische Geschichte und Geschichtswissenschaft*, Böhlau, Vienna 1990, 91—96. Vid. takođe M. Todorova, "The Balkans: From Discovery to Invention", na više mesta.

[16] T. daCosta Kaufman, *Toward a Geography of Art*, University of Chicago Press 2004; C. J. Whiters, "Place and the 'Spatial Turn'", *Geography and in History*, *Journal of the History of Ideas* 70(4), oktobar 2009, 637—658; B. Warf, S. Arias, "Introduction. The Reinsertion of Space into the Social Sciences and Humanities", u: *The Spatial Turn. Interdisciplinary Perspectives*, ur. B. Warf, S. Arias, Routledge 2009, 3—6.

[17] Z. Blažević, "Globalizing the Balkans. Balkan Studies as a Transnational/Translational Paradigm"; K. Kaser, "Balkan Studies Today at the University of Graz (and elsewhere)".

Slika 6. Menore na kapitelu iz Korinta, Grčka, VI vek

diteran nije civilizacijska jedinica, entitet jasnih, posebno odeljenih i dominantnih specifičnosti, stabilnih i zajedničkih arhetipskih struktura, ontoloških i anistorijskih principa, već čitav niz internih razlika i protivrečnosti. Na konceptualnoj ravni, kao ideja, služeći se bahtinovskom terminologijom, mediteranski hronotop je inkoherentan i fluidan. Referentne tačke su mu rasute na širokoj i heterogenoj ravni, što otežava pokušaje dešifrovanja Mediterana na nekoj apsolutnoj, večnoj, nadistorijskoj ravni, identitet koji je određen svojim konstitutivnim *differentia specifica*. Mediteranski identitet je obeležen istorijskim transformacijama i prepun spornih tačaka. Mediteranski identitet leži u procesu artikulacije i stalnog re-kodiranja, re-konfigurisanja. Prepoznatljivi *locus communi* mediteranskog hronotopa uključuje niz kulturnih i civilizacijskih metateza i inverzija, pre nego bilo kakav idealizovan ili linearni transfer kulturnog nasleđa. Već i samo podsećanje na raznolika imena i nazive koji se vezuju za Mediteran kroz različite epohe i jezike, upućuje na poliglotsku, multifokalnu i polivalentnu sliku mediteranskog hronotopa i mediteranskog sveta. Mediteranski hronotop označava, pored geografske, i nadnacionalni i nadreligijski fenomen, mobilnu, promenljivu skupinu civilizacijskih heterogenosti, poliglosije, i različitih verskih, kulturnih i političkih identiteta obeleženih izrazitom hibridizacijom.[18]

---

[18] D. Abulafia, "What is the Mediterranean?", u: *The Mediterranean in History*, ur. D. Abulafia, Thames&Hudson Ltd, London 2003, 11—32.

2. Vizuelna kultura Balkana kao dela mediteranskog sveta

Kad je reč o vizuelnoj kulturi tri evropska poluostrva koja duboko ulaze u Mediteran i čine aksise mediteranskog sveta, vizuelna kultura Balkanskog je, čini se, ponajmanje razmatrana sa stajne tačke koja bi podrazumevala premise i tačke gledišta njemu pripadajuće i istorijski osvedočene transkulturalne interakcije i kulturnog transfera.[19] Ovakvo metodološko stanovište podrazumeva pristup koji polazi od činjenice da dok je u širim okvirima kretanje ideja, ljudi i predmeta bilo uslovljeno dinamikom diplomatije, trgovine političkim težnjama elite u državi i crkvi, neposredno lokalno okruženje bilo je to koje je određivalo način na koji bi takve interakcije bivale inkorporirane u vizuelnu kulturu matičnih zajednica. Povrh toga, uz sve što ih je posredno pokretalo i davalo im značenje, moć i uticaj, slike i predmeti vizuelne kulture bili su ispunjeni i sopstvenom moći, sposobnošću da menjaju kulture.[20] I istorija umetnosti i antropologija ukazuju sve više na društvenu ulogu predmeta kao aktivnih činilaca zajednica, gotovo tvari ispunjene određenim senzibilitetom. Srednjovekovni svet i svet ranog modernog doba ispunjen je predmetima, od ikona i relikvijara do arhitektonskih zdanja, koji ne samo što nose religijski značaj već su i tačka projavljivanja božanskog, tačka dodira sa evharistijskom i eshatološkom realnošću, što ih čini i nosiocima, posrednicima i sudeonicima političke moći i važnim predmetom tj. subjektom u mrežama konektivnosti.[21]

U predmoderno doba kulturna i vizuelna dimenzija aproprijacije, recepcije i interpretacije, određenih kulturnih modela u datom lokalnom okruženju, tj. transkulturalne interakcije koja je rezultat stalnog dodira različitih zajednica, *politeia*, identiteta, ne može se razmatrati odvojeno od sfere religijskog. Stoga je izuzetno važan aspekt razmatranja vizuelne kulture jednog okruženja ili regije, a u ovom slučaju Balkana i Mediterana, pitanje kulturne dinamike religije i vizuelne kulture.

[19] O konceptu kulturnog transfera prema Mišelu Espanju vid. dole. Vid. takođe *Circulations in the Global History of Art*, ur. T. daCosta Kaufmann i dr., Routledge 2015.

[20] O takvim svojstvima slike vid. osnovnu studiju W. J. T. Mitchell, *What Do Pictures Want? The Lives and Loves of Images*, University of Chicago Press 2004. Vid. takođe *Faces of Charisma. Image, Text, Object in Byzantium and the Medieval West*, ur. B. M. Bedos Rezak, M. D. Rust, Brill 2018.

[21] M. Canepa, "Theorizing Cross Cultural Interaction Among Ancient and Early Medieval Visual Cultures", *Ars Orientalis*, 2010, 7—29; M. Rosser-Owen, "Mediterraneanism: How to Incorporate Islamic Art into an Emerging Field", *Journal of Art Historiography* 6, 2012, 1—33.

Važan aspekt u razmatranju toga jeste pitanje *translatio*/transfera i recepcije — u kojoj meri, kojim putevima i na koji način je uvođenje i prihvatanje svetinja, kultova i predmeta koji im pripadaju i koji ih definišu, slika, ikonografskih formula, materijala, graditeljskih formi i rešenja određenih kulturnih modela uticalo na vizuelnu kulturu takve, „lokalne", sredine. Da li se, budući da u potpunosti prihvata i na istim principima sa razumevanjem i daljim razvijanjem istih suštinskih ideja gradi svoju vizuelnu kulturu, ta „lokalna" sredina može i dalje posmatrati kao „lokalna", regionalna u limitirajućem smislu koji podrazumeva provincijsku prirodu njene vizuelne kulture? Odgovor je odričan.[22]

Ovo pitanje, kao i mnoga druga pitanja vezana za vizuelnu kulturu shvaćenu kao nastajanje i funkcionisanje predmeta i slika u društvenim relacijama, pitanje je funkcije vizuelnog u određenom kulturnom modelu. Kulturni modeli nude okvir za razumevanje, tumačenje značaja i značenja, definisan okvir komunikacije među subjektima o njihovom pojedinačnom identitetu i među stvaraocima o materijalnosti, materijalnoj datosti. Narativi čine crvenu nit i ključni su element kulturnih modela, procesa kulturne integracije, dok u isto vreme postoje i funkcionišu kao tačke simboličkog suočavanja, sukobljavanja. Oni stoga omogućavaju i promišljanje o tome kako se granice, otvorene spram zatvorenih, prevazilaze. Upravo te granice, ali i njihovo prevazilaženje, spajanje i istovremeno trajanje više različitih narativa i kulturnih modela, određuju kulturnu dinamiku religije i vizuelne kulture na prostoru Balkana i Mediterana u srednjovekovno i rano moderno doba.[23]

Jedna od suštinskih i određujućih odlika mediteranskog sveta tokom srednjeg veka i predmodernog doba jeste i etnoreligijski diverzitet. Mediteran, i Balkan kao njegov integralni činilac, sastavni deo, jeste bio fragmentovana ali istovremeno i integrisana zona pojedinačnih mikroekologija i mikroekonomija naseljenih, često istovremeno, zajednicama različitih konfesionalnih kao i etničkih pripadnosti i identiteta sa dugom istorijom međusobne interakcije. Formalno govoreći, mediteranski prostor može se podeliti na različite sfere: hrišćansku, islamsku i jevrejsku, tj. latinsku, romejsku (grčku) i arapsku (tursku), da pomenemo samo one najprisutnije u istoriografiji. Međutim, bez obzira na jasno određene okvire svakog od ovih formalno postavljenih kulturno-

[22] O ovim pitanjima vid. rasprave u zbornicima *Territories and Trajectories. Cultures in Circulation*; *Circulations in the Global History of Art.*

[23] Za detaljnije teoretsko i metodološko razmatranje vid. dole, sledeće Poglavlje ove knjige.

lingvističko-religijskih identiteta, takva striktna podeljenost ne odslikava celovitost mediteranske kulture i društva. Podjednako je važno, ako ne i važnije, za celovito sagledavanje mediteranskog kulturnog prostora razmatrati i razumeti sve spojeve koji premošćuju, preklapaju i spajaju različite konfesionalne, etničke i lingvističke grupe, spojeve utemeljene u zajedničkom, deljenom, istom pristupu religiji, filozofiji, znanju, društvenim vrednostima nastalim kao rezultat kretanja ljudi i dobara širom regiona te, iznad svega, na iskustvima života u jednom geografskom okruženju. Sve je to gradilo posebnu vrstu međusobnog razumevanja različitih zajednica. Time je bila omogućavana njihova lakša društvena i politička integracija. To je poslužilo kao katalizator kulturne sinteze i inovacije koja je prevazilazila i prelazila granice pojedinačnih identitetskih grupa.

Diverzitet je bio prednost u složenom ekonomskom i društvenom okruženju mediteranskog sveta a političke elite su, bez obzira na svoju ideološku orijentaciju, bile svesne da im je u interesu, ekonomskom i političkom, da različitim zajednicama obezbede legitimno mesto u društvu. Manjinske zajednice su bile spremne da prestiž i prvenstvo zamene za uticaj i sigurnost. Širom Mediterana takvi odnosi bili su formalno potvrđeni i zagarantovani ugovorima i diplomatskim aktima, kao i pravnim propisima. Ravnoteža većinskih i manjinskih grupa koja je različitim zajednicama tokom vekova omogućavala da opstanu bila je, ipak i pre svega, rezultat svakodnevnog poslovanja u ekonomiji i političkom životu, u javnom ali i privatnom životu pojedinca i društvenih grupa, a u osnovi svega ležalo je međusobno razumevanje proizašlo iz mediteranskog kulturnog identiteta.[24]

Kulturna dinamika religije na Balkanu upravo je jedan od ključnih činilaca njegovog povezivanja sa Mediteranom ali i ključna spona Evrope sa širim evroazijskim prostorom.[25] Takav Balkan, sa svojom stalnom komunikacijom i povezanošću sa Mediteranom, prostor je transkulturalnog dodira i razmene koja ostaje kroz vizuelnu kulturu hrišćanskih, islamskih i jevrejskih zajednica na području najistočnijeg od tri poluo-

---

[24] Vid. B. Catlos, "Ethno-Religious Minorities", u: *A Companion to Mediterranean History*, ur. P. Horden, S. Kinoshita, London 2014, 361—377; *Common Culture and Particular Identities: Christians, Jews and Muslims in the Ottoman Balkans.*

[25] O vezi sa evroazijskim prostorom vid. K. Kaser, "Balkan Studies Today at the University of Graz (and elsewhere)", u: *Liminal Spaces of Art between Europe and the Middle East*, ur. I. Prijatelj Pavičić, M. Vicelja Matijašić, M. Germ, G. Cerkovnik, K. Meke, I. Babnik, N. Díaz Fernández, Cambridge Scholars Publishing 2018.

strva koja ulaze u Sredozemlje, i kroz ovu kulturu biva odražavan.[26] Adnan A. Husain je tačno primetio: „ono što mediteransku zonu čini jedinstvenom moguće su upravo *longue durée* interreligijski kontakti, međusobna razmena, čak i takmičenje oko toga ko ima univerzalni značaj među zajednicama muslimana, hrišćana i Jevreja tokom, daleko od statičnog, formativnog perioda njihovih tradicija, od poznoantičkog do ranog modernog doba".[27]

„Osvajači" i „osvojeni", „pobednici" i „poraženi", uspevali su da nakon početnih sukoba prihvate „tuđe" (nove) institucije i ostvare društvenu i ekonomsku integraciju. Stoga politički ili vojni poraz nije morao da podrazumeva potpunu katastrofu na srednjovekovnom Mediteranu već i mogućnost i otvaranje novih prilika ne samo za pobednike već i za poražene. Kompleksnost i diverzitet mediteranskog sveta obezbeđivali su i uslovljavali stalne veze između hrišćana, muslimana i Jevreja (Slika 6). U većini slučajeva i uslova, konteksta, njihove interakcije, za većinu pojedinaca, na nivou individualne komunikacije i poslovanja, religiozni identitet nije bio od presudnog značaja niti je uticao na prirodu njihovih odnosa. Prijateljstva, poslovne veze, savezi, bili su realnost uprkos činjenici što su na jednom sasvim drugom nivou, formalnom i apstraktnom, ideološkom i političkom, jedni druge mogli da smatraju nevernicima.[28]

Tokom proteklih stotinu godina, polje mediteranskih studija obeležile su, pre svega, dve naizgled međusobno isključive paradigme. Jedna definiše Mediteran kao podeljeno bojno polje sučeljenih civilizacija,

---

[26] *Common Culture and Particular Identities: Christians, Jews and Muslims in the Ottoman Balkans*; B. Catlos, "Ethno-Religious Minorities; El Prezente i Menora, Common Culture and Particular Identities".

[27] A. A. Husain, *A faithful sea: The religious cultures of the Mediterranean, 1200—1700*, Oxford 2007, posebno 25. Vid. takođe *Tradition and Transformation: Dissent and Consent in the Mediterranean*, Proceedings of the 3rd CEMS International Graduate Conference, ur. M. Mitrea, Solivagus-Verlag, Kiel 2016.

[28] Vid. studiju o mediteranskim mrežama povezanosti i interakcije na osnovu dokumenata otkrivenih u Kairskoj genizi S. Dov Goitein, *A Mediterranean Society: The Jewish Communities of the Arab World as Portrayed in the Documents of the Cairo Geniza*, 6 vols, University of California Press, Berkeley 1967—1993. Up. primer sa Balkana, iz oblasti Rasa, od XIII do kraja XVII veka, J. Ердељан, *Средњовековни надгробни споменици у области Раса*, Београд 1996, 21—40. Up. takođe N. Makuljević, "The Trade Zone as the Cultural Space: Traders, Icons and the Cross-Cultural Transfer at the Adriatic Frontiers in Early Modern Times", u: *Beyond the Adriatic Sea. A Plurality of Identities and Floating Borders in Visual Culture*, ur. S. Brajović, Novi Sad 2015, o mrežama konektivnosti Petra Andrejevića, trgovca sa Kosova u XVIII veku.

Slika 7. Karavan-saraj, gravira V. H. Bartleta iz XIX veka

pre svega hrišćanske i islamske, dok druga polazi od pretpostavke da je Mediteran povezano i umreženo područje mnogih trgovinskih centara kao mesta razmene i susreta. Ako bismo odstupili od strogih linija i okvira ove dve paradigme i različito šrafiranih i obojenih polja na mapi koja predstavljaju njihovu projekciju, a naročito projekcije one prve paradigme koja podrazumeva sučeljavanje, ako bismo počeli da postavljamo pitanja i prevazilazimo unapred trasirane puteve kojima se do sada stizalo do odgovora, ukazale bi nam se nove perspektive i počele da brišu stare i već oveštale kategorije poput podele na istok i zapad, osmanski i evropski, islamski i hrišćanski Mediteran. Umesto njih mogli bismo da uočimo daleko više iznijansiran svet u kojem ima i sučeljavanja, ali i trgovine, povezivanja i koegzistencije (Slika 7).[29]

Istraživanja vezana za pitanje diplomatije u okviru onog što savremena istoriografija prepoznaje kao integrisanu mediteransku istoriju od antike do modernog doba, pokazuju da vrste diplomatskih aktivnosti vezanih za evropsku političku i kulturnu tradiciju, s jedne strane, kao i one islamske tradicije, s druge, nisu nastajale i odvijale se

[29] E. R Dursteler, "On Bazaars and Battlefields: Recent Scholarship on Mediterranean Cultural Contacts", *Journal of Early Modern History* 15, 2011, 413—434.

nezavisno i izolovano jedna od druge, već su dobijale značaj i značenje kroz procese posredovanja i pregovaranja predstavnika različitih konfesionalnih i društvenih pripadnosti. Posebno u tom okviru treba obratiti pažnju na rezultate tzv. nove diplomatske istorije, one koja nije vezana za kontakte među elitama na obe strane. Stoga, na primer, na hrišćanske robove, begunce, prebege, jevrejske lekare, moriskose i druge konvertite, kao i na zvaničnike nižeg ranga koji su bili posrednici u mediteranskoj kroskonfesionalnoj diplomatiji. U rano moderno doba bila je uravnotežena moć između političkih činilaca, *polities*, koji su bili podanici islamskih i hrišćanskih vladara. Pregovori su bili zasnovani ne samo na principima reciprociteta, pariranja i sameravanja, već su njihove odredbe i u praksi bile sprovođene. Ovo se jasno odražava na dosad uvreženo stanovište evropske diplomatske nadmoći, kao neodrživo, čime se nužno otvaraju i pitanja vezana za prave korene moderne diplomatije.[30]

Ova studija će polazeći od pretpostavke i koncepta fluidnosti granica i liminalnih prostora,[31] predstaviti neke rečite, harizmatske slike po mnogo čemu paradigmatične za vizuelnu kulturu Balkana, a koje su proizašle iz transkulturalnih kontakata i kulturnog transfera nastalog u okviru kulturne dinamike religije. U tom smislu, usredsrediće se na interakciju između tri dominantne, avramitske religije koje su nastale i bile rasprostranjene na Mediteranu i Balkanu — hrišćanstva, islama i judaizma — kao i između različitih denominacija u okviru hrišćanske zajednice katoličke i pravoslavne. Potom i na pojave kriptoreligijskog, identiteta kriptojevrejske, formalno islamske, šabatajske zajednice. Ova studija ima za cilj da ukaže na načine, puteve i narative konstruisanja vizuelnog identiteta na Balkanu kroz veze sa mediteranskim svetom, na kulturni transfer ostvaren kroz cirkulisanje svetih tela živih svetitelja i njihovih moštiju, harizmatskih slika, ikona, votivnih pločica, na vizuelno ukrštanje navedenih različitih identiteta, kao i na čitanja zajedničkog kultnog i vizuelnog repertoara, vokabulara. Jedna od namera autora jeste i da se time učini korak ka rekonfigurisanju oficijelnog narativa

[30] M. van Gelder, T. Krstić, "Introduction: Cross-Confessional Diplomacy and Diplomatic Intermediaries in the Early Modern Mediterranean", *Journal of Early Modern History* 19/2—3, 2015, 93—105.

[31] O ovim pojmovima u savremenoj istoriografiji vid. studije objavljene u zbornicima *Liminal Spaces of Art between Europe and the Middle East*; H. Bhabha, *The Location of Culture*; *Territories and Trajectories, Cultures in Circulation*, ur. H. Bhabha, Duke University Press 2018; *Circulation and Global History of Art*, ur. T. daCosta Kaufmann i dr.

istorije umetnosti srednjovekovnog i ranog modernog razdoblja u pravcu uvažavanja istorijske realnosti kulturnog pluralizma, multilingvalnosti, pluranih i kriptoidentiteta, te heterotopije i heteroglosije Balkana u predmodernom periodu.[32]

Sa takvim namerama, kao indikativne harizmatske slike, studije slučaja, biće razmatrani primeri vizuelizacije kulta Svetog Spiridona kao svedoka interakcije hrišćanskog pravoslavnog i hrišćanskog katoličkog identiteta i markera više različitih ličnih i korporativnih identiteta na Balkanu i Mediteranu. Takođe, biće reči i o vizuelnoj kulturi sefardske, a posebno kriptojevrejske šabatajske zajednice na Balkanu, kao primeru interakcije (kripto)jevrejskog, islamskog i hrišćanskog religijskog i vizuelnog identiteta i kulturnog transfera. Harizmatske slike — imagologija vezana za Svetog Spiridona kao i Šabataja Sevija, dva sveta čoveka koja su na Balkan došla sa Mediterana, biće razmatrane u okviru koordinatnog sistema prostora pamćenja (*lieu de memoire*), kao prostora zajedničke memorije tri avramitske religije.

U očima tradicionalne istoriografije, ne samo u našoj nauci, ovo je uglavnom nepoznat i malo primenjivan pristup proučavanju.[33] Sledeći definiciju koju je ponudio Štefan Rodevald, u okviru ovog koncepta, prostore treba shvatiti metaforički. Oni nisu ograničeni samo na fizičke, već obuhvataju i ličnosti, događaje, institucije, građevine, spomenike i sve elemente vizuelne kulture. Takvi prostori pamćenja postoje kao rezultat i odraz društvenih grupa koje dele uspomene i sećanja na ljude i događaje, ili na prostore njihovog odvijanja.[34] Oni su „trajne tačke kristalizacije kolektivnog pamćenja i identiteta. Usađeni su u društvene, kulturne i političke prakse, i menjaju se u meri u kojoj se menja njihova percepcija, recepcija, funkcija i način prenošenja njihovog značenja".[35]

---

[32] Z. Blažević, "Globalizing the Balkans. Balkan Studies as a Transnational/Translational Paradigm"; K. Kaser, "Balkan Studies Today at the University of Graz (and elsewhere)". O višestrukim i kriptoidentitetima u osmansko vreme vid. T. Krstić, *Constested Conversions to Islam. Narratives of Religious Change in the Early Modern Ottoman Empire*, Stanford University Press 2011.

[33] Kad je u pitanju prostor Jugoistočne Evrope, vid. *Prostori pamćenja* I, ur. A. Kadijević, M. Popadić, Beograd 2013, a za pitanja istoriografije posebno I. Stevović, "The historiography as a space of memory: the moment and an unfathomable future", u: Isto, 43—54.

[34] S. Rohdewald, "Figures of (trans-) national religious memory of the Orthodox Southern Slavs before 1945: An outline of examples of SS. Cyril and Methodius", *TRAMES*, 2008, 12(62/57), 3, 287—298, posebno 287—288.

[35] E. Françoise, H. Schulze, "Einleitung", u: *Deutsche Erinnerungsorte*, Vol 1, ur. E. Françoise, H. Schulze, C. H. Beck, München 2002, 9—24, posebno 18.

Lieux de mémoire najčešće se proučavaju i objavljuju u nacionalnom kontekstu, a do skoro gotovo po izuzetku u transnacionalnim okvirima. Štaviše, i u dobroj meri upravo iz tih razloga, a imajući u vidu da istorija religije i istorija kulture ponovo postaju centralni aspekti političke istorije kao i da su u žiži političkih i vojnih kriza u širem regionu Jugoistočne Evrope tj. Balkana i istočnog Mediterana, sukobi oko kontrole nad svetim mestima sećanja, tj. prostorima pamćenja, uglavnom su profesionalce na polju međunarodne politike, prava i diplomatije zatekli nepripremljene za razumevanje i kretanje ka njihovom razrešavanju.[36] Budući da su kulture splet raznorodnih elemenata, mobilnih i prenosivih tradicija, one su kompozitne i hibridne. Fokus postkolonijalnih studija vizuelne kulture jesu upravo procesi integracije i dezintegracije tih i takvih njenih činilaca. U savremenoj istoriografiji kultura se ne sagledava kao nepromenjiva i okamenjena, već kao trajni i transformišući proces interakcije, razmene, apropríjacije, prilagođavanja, *mimesis*-a, simbioze i osmoze. Oficijelna i popularna kultura nisu više dva suprotstavljena tabora, nema više striktnih podela između jevrejskog, hrišćanskog i islamskog sveta u smislu kulturne interakcije, a posebno na polju vizuelne kulture. Metodološki smo danas bliži pristupima koji se temelje na studijama fenomena graničnih društava („border/frontier societies"), umrežavanja, interkonektivnosti i transkulturalnosti.[37]

[36] Y. Stoyanov, "The Sacred Spaces and Sites of the Mediterranean in Contemporary Theological, Anthropological and Sociological Approaches and Debates", u: *Between Cultural Diversity and Common Heritage, Legal and Religious Perspectives on the Sacred Places of the Mediterranean*, ur. S. Ferrari, A. Benzo, Routledge 2016, 25—36.

[37] Za takav metodološki pristup vid. *Hybride Kulturen im mittelalterlichen Europa. Vorträge und Workshops einer internationalen Frühlingsschule*, ur. M. Borgolte, B. Schneidmüller, Akademie Verlag GmbH, Berlin 2010.

Poglavlje II

Balkan i Mediteran. Geografija, istorija i metod

1. Putevi kulturnog transfera između Balkana i Mediterana

Vizuelna kultura koja je tokom predmodernog razdoblja nastajala na Balkanu, najvećim delom kroz neprekidnu povezanost sa mediteranskim svetom, bila je određena izrazitim religioznim polilogom, multikonfesionalnošću i multilingvalnošću. U političkim, verskim i kulturnim zajednicama tog sveta govorilo se, molilo, pisalo i trgovalo na grčkom, latinskom, staroslovenskom, italijanskom, arapskom, turskom, aramejskom, hebrejskom, judeo-španskom, kako u Srbiji Nemanjića, Lazarevića i Brankovića i Drugom bugarskom carstvu tako, naročito, u Romejskom, Latinskom i Osmanskom carstvu, čiji je centar uvek bila jedinstvena carska metropola na Bosforu (Slika 1).[1] Mnogo je primera transkulturalne interakcije i kulturnog transfera između i unutar denominacija tri avramitske religije na Balkanu u predmoderno doba — u stalnoj živoj vezi sa Mediteranom. Ona se očitava u bezbrojnim predmetima vizuelne kulture nastalim i korišćenim od Carigrada do Beograda i na jugu ka Stonu,

[1] Iz opsežne istoriografije posvećene ovoj temi ovde izdvajamo samo neke od važnih studija i zbornika: *Marginality in Byzantium*, ur. Ch. A. Maltezou, Athens 1993; *Studies on the Internal Diaspora of the Byzantine Empire*, ur. H. Ahrweiler, A. E. Laiou, Washington D.C. 1998; *Strangers to Themselves: The Byzantine Outsider*, ur. D. C. Smythe, Aldershot 2000; D. Jacoby, *Byzantium, Latin Romania and the Mediterranean*, Aldershot 2001; E. Dursteler, *Venetians in Constantinople. Nation, Identity, and Coexistence in the Early Modern Mediterranean*, The Johns Hopkins University Press, Baltimore 2006; *Byzantines, Latins, and Turks in the Eastern Mediterranean World after 1150*, ur. J. Harris, C. Holmes, E. Russell, Oxford University Press 2012; *Common Culture and Particular Identities: Christians, Jews and Muslims in the Ottoman Balkans*; *The Balkans and the Byzantine World Before and After the Captures of Constantinople, 1204 and 1453*, ur. V. Stanković, Lexington Books 2016. Radovi prof. Dejvida Džekobija sa Hebrejskog univerziteta u Jerusalimu naročito su značajni za ovo pitanje, vid. D. Jacoby, *Medieval Trade in the Eastern Mediterranean and Beyond*, Variorum Collected Studies, Routledge, London — New York 2018. U srpskoj istoriografiji za razumevanje ovog pitanja posebno su značajna istraživanja vezana za građu iz Dubrovačkog arhiva i kolonije Dubrovčana na Balkanu. Vid., na primer, J. Тадић, „Дубровчани по јужној Србији у XVI столећу", *Гласник Скойскоī ученоī друшӣва* 7—8, 1930; Р. Самарџић, „Дубровчани у Београду", *Годишњак Музеја īрада Беоīрада* 2, 1955, 47—94.

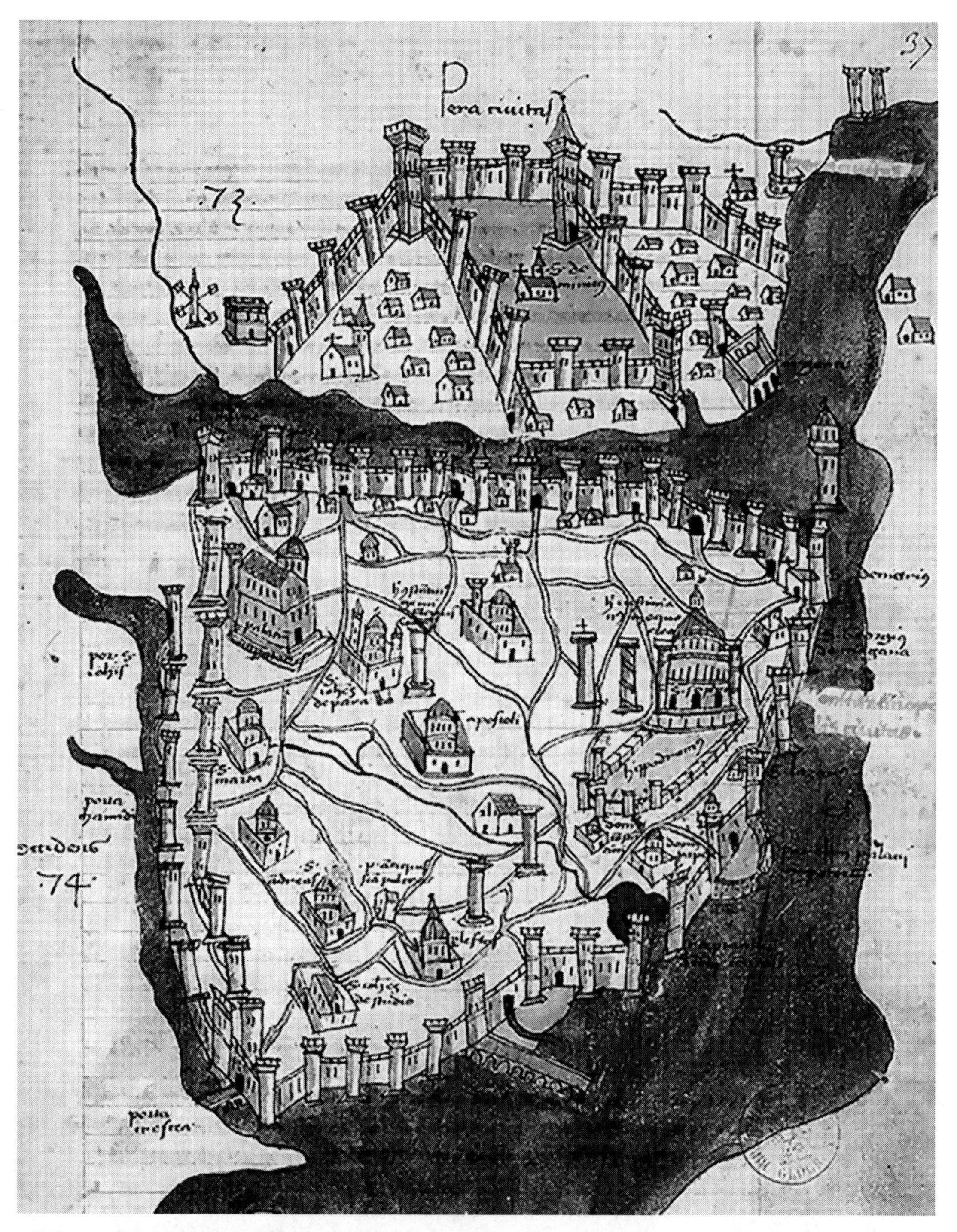

Slika 1. Najstarija sačuvana mapa prestonice na Bosforu, Buondelmontijeva mapa Carigrada iz 1422. godine

Kotoru, Prevlaci, Budvi, Ratcu, Baru, Ulcinju, Skadru, Jonskim ostrvima, Epiru, Bitolju, Skoplju, sve do Atine i Soluna, a odatle na sever, prema Plovdivu, Samokovu, Vidinu. (Slika 2).[2]

Putevi kulturnog transfera, cirkulisanja kulturnih i vizuelnih modela su pre svega putevi trgovine i hodočašća.[3] More nastajanja i širenja tri avramitske religije, i Balkan kao njegov integralni deo, ispresecano je od najranijih vremena njihovim trasama (Slika 3).[4] Od poznoantičkih vremena sve do druge polovine XX veka kad je morfologija tla i inače izgubila svoj ranije ključni značaj za pravac prostiranja velikih puteva, osnovni pravci kopnenih drumova na Balkanu u najvećem broju slučajeva pratili su tradicionalne linije duž kojih je kretanje bilo olakšano

---

[2] Vid., na primer, Beyond the Adri*atic Sea. Plurality of Identities and Floating Borders in Visual Culture*; J. Erdeljan, Mediteran i dru*gi svetovi. Pitanja vizuelne kulture, XI—XIII vek*, Novi Sad 2015.

[3] O tim putevima i cirkulisanju ljudi i dobara, uključujući relikvije i predmete vizuelne kulture, vid. izvanrednu studiju M. Mc Cormick, *Origins of the European Economy. Communications and Commerce, AD 300—900*, Cambridge University Press 2001; *Travels and Mobilities in the Middle Ages. From the Atlantic to the Black Sea*, ur. M. O'Doherty, F. Schmieder, Brepols, Turnhout 2015. Za poznije razdoblje vid. C. Hilsdale, "Translatio and Objecthood. The Cultural Agendas of Two Greek Manuscripts at Saint Denis", *Gesta* 56/2, 2017, 151—178. Vid. takođe A. Payne, "The Portability of Art: Prologomena to Art and Architecture on the Move", u: *Territories and Trajectories. Cultures in Circulation*, 91—109. O ljudima, slikama, jezicima i predmetima na putevima komunikacije između Vizantije i Zapada vid. *Menschen, Bilder, Sprache, Dinge. Wege der Kommunikation zwischen Byzanz und dem Westen, 1: Bilder und Dinge*, ur. F. Daim, D. Heher, C. Rapp, Byzanz zwischen Orient und Okzident 9, 1, Studien zur Ausstellung "Byzanz & der Westen. 1000 vergessene Jahre", Verlag des Römisch-Germanischen Zentralmuseums, Mainz 2018; *Menschen, Bilder, Sprache, Dinge. Wege der Kommunikation zwischen Byzanz und dem Westen, 2: Menschen und Worte*, ur. F. Daim, C. Gastgeber, D. Heher, C. Rapp, Byzanz zwischen Orient und Okzident 9, 2, Studien zur Ausstellung "Byzanz & der Westen. 1000 vergessene Jahre", Verlag des Römisch-Germanischen Zentralmuseums, Mainz 2018.

[4] Vid., na primer, O. Remie Constable, *Housing the Stranger in the Mediterranean World. Lodging, Trade, and Travel in Late Antiquity and the Middle Ages*, Cambridge University Press, New York 2003; F. Curta, *Southeastern Europe in the Middle Ages, 500—1250*, Cambridge University Press, New York 2006; J. Кодер, *Византијски свет, Увод у историјску географију источног Медитерана током византијске епохе*, Београд 2011; *Greek and Roman Networks in the Mediterranean*, ur. I. Malkin, C. Constantakopoulou, K. Panagopoulou, Routlege, London — New York 2013; D. Jacoby, "Evolving Routes of Western Pilgrimage to the Holy Land, Eleventh to Fifteenth Century: An Overview", u: *Unterwegs im Namen der Religion II / On the Road in the Name of Religion II, Wege und Ziele in vergleichender Perspektive — das mittelalterliche Europa und Asien / Ways and Destinations in Comparative Perspective — Medieval Europe and Asia*, ur. K. Herbers, H. C. Lehner, Franz Steiner Verlag 2016, 75—97; *Journeying Along Medieval Routes in Europe and the Middle East*, ur. A. L. Gascoigne, L. V. Hicks, M. O'Doherty, Brepols, Turnhout 2016.

Slika 2. Predmeti od keramike iz Iznika, kraj XVI veka. Nalaz otkriven na osmanskom brodu potopljenom kod Mljeta

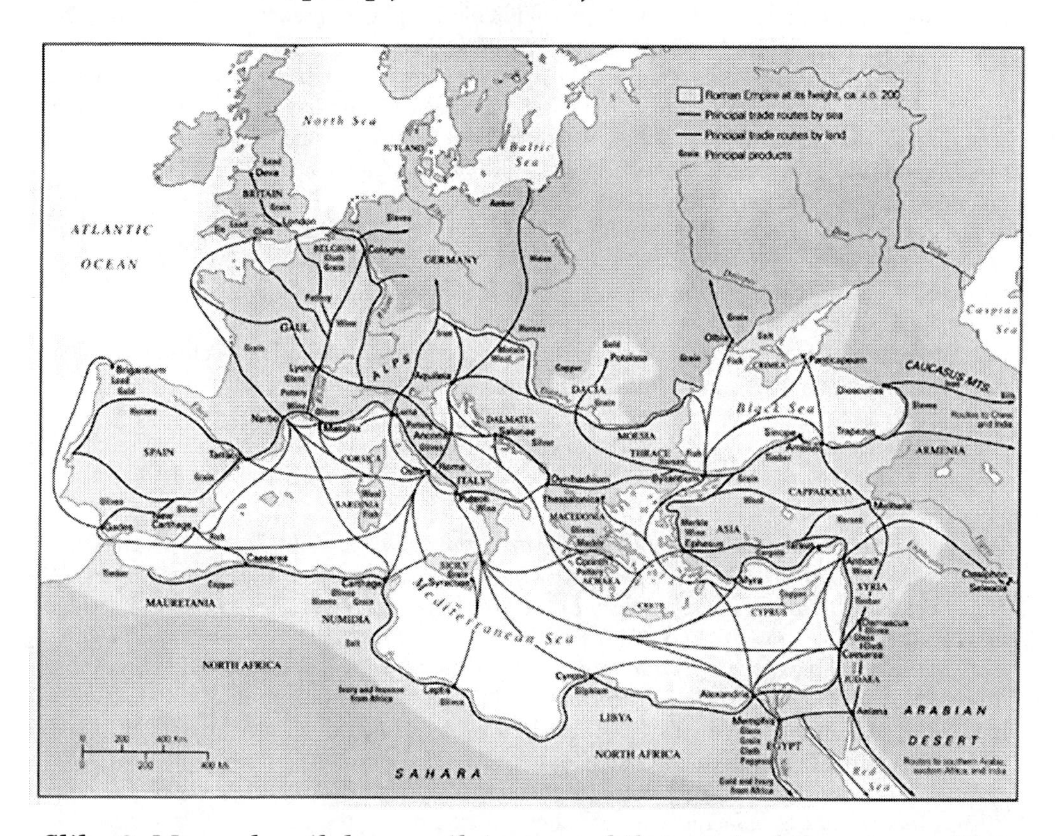

Slika 3. Mapa glavnih kopnenih i pomorskih trgovinskih puteva u Rimskom carstvu početkom III veka n. e.

Slika 4. ***Via Egnatia.*** **Originalne kamene ploče na trasi koja prolazi kroz Solun, otkrivene nedavno prilikom radova na podzemnoj železnici**

zbog reljefa tla i naselja koja su na njima upravo iz tih razloga i nastala. Veliki putevi stoga su, logično, sledili rečne tokove i prostirali se duž Dunava i Save, ali i drugih rečnih dolina, poput Morave, Ibra, Vardara. Najvažniji putevi koji su umrežavali čitav prostor Balkana i povezivali ga sa Jadranskim, Jonskim, Egejskim i Crnim morem, dakle sa centralnim i istočnim Mediteranom, bili su *via militaris* i *via Egnatia*. Vojni put se protezao od Carigrada preko Herakleje, Adrijanopolja (Jedrena), Filipopolja (Plovdiva) dolinom reke Marice, Serdike (Sofije), Naisusa (Niša), dolinom Morave do Viminacijuma i Beograda (Singidunuma), i u nastavku preko Dunava sve do Centralne i Istočne Evrope, ili uz reku Savu, preko Sremske Mitrovice (Sirmijuma), Ljubljane (Emone) sve do Trsta i severne obale Jadrana. Od Niša se jedan put odvajao ka jugu i vodio preko Skoplja i doline Vardara do Soluna. Od Sofije je drugi put išao ka zapadu i preko Justinijane Sekunde, Ćustendila i Stobija išao ka Herakleji i spajao se sa *via Egnatia*. Put koji je od Plovdiva polazio ka severu preko planinskog venca Balkana, kroz Trajanovu kapiju, išao je do doline Dunava, a dalje prema istoku i do Anhilaja, važne luke na Crnom moru.[5]

---

[5] J. Кодер, *Византијски свет, Увод у историјску географију источног Медитерана током византијске епохе*, 77.

Trasa *via Egnatia* vodila je od Carigrada preko Herakleje, Kipsele, Kavale, Filipa, Soluna, Edese, Ohrida sve do Drača i još južnije, do Valone (Slika 4). Ove dve luke su bile povezane sa istočnom obalom Apeninskog poluostrva, sa lučkim gradovima Brindizijem i Otrantom koji su činili krajnje tačke *via Appia*-e i tako bili neposredno povezani sa Rimom, kao i Barijem, koji je bio na *via Traiana*, te Ankonom na *via Flamina*. Stoga je *via Egnatia* bila najkraća i najbrža ruta koja je povezivala Rim i Carigrad. U poznom srednjem veku i u ranom modernom periodu, na osmanskom Balkanu, putevi severno od Egnatije koji su povezivali istok i zapad, Crno more sa Jadranom, bili su posebno značajni zbog njihove povezanosti sa rudnicima u Srbiji i Bosni. Funkcionisali su kao trase karavanske trgovine koje su proizvode seoskih sredina unutrašnjosti Balkana, med, vosak, vunu, kožu, dopremali u Dubrovnik, odakle se dalje trgovalo ovom tada strateškom robom.[6]

Kopneni putevi vodili su ka moru i nizu luka duž jadranske, jonske, egejske i crnomorske obale Balkana koje su bile portali i čvorišta susreta sa širim mediteranskim svetom ali i onim izvan mora u središtu zemlje (Slika 5).[7] Trenutno najopsežniji projekat posvećen balkanskim lukama je onaj temeljnog i detaljnog istraživanja luka i pristaništa duž balkanskih obala Vizantijskog carstva. Neposredno je vezan za širi i višedecenijski projekat „Tabula Imperii Byzantini", u kojem, pod rukovođenjem Falka Daima iz Majnca, učestvuju Rimsko-germanski centralni muzej u Majncu, Univerzitet u Beču i Austrijska akademija nauka. Cilj ovog projekta je dokumentovanje svih luka i pristaništa na balkanskoj obali Vizantijskog carstva. Ona je najduže od svih mediteranskih obala Carstva u kontinuitetu bila pod kontrolom carske vlasti, od IV veka do 1204. godine, od Dalmacije preko Egejskog mora do zapadnih obala Crnog mora i ušća Dunava, imajući značaj, materijalnu strukturu i funkcionalnost kako za pomorski saobraćaj tako i za komunikaciju sa balkanskim zaleđem.[8]

---

[6] Isto, 77—78. Vid. takođe J. Ердељан, *Средњовековни надгробни споменици у области Раса*, Београд 1996, posebno 27, sa starijom literaturom.

[7] *Trade and Markets in Byzantium*, Dumbarton Oaks Byzantine symposia and colloquia, ur. C. Morisson, Washington D.C. 2012, posebno R. W. Dorin, "Adriatic Trade Networks in the Twelfth and Early Thirteenth Centuries", 235—279, sa literaturom.

[8] Vid., zbrornik radova posvećen carigradskim lukama, *Die byzantinischen Häfen Konstantinoples*, ur. F. Daim, Byzanz zwischen Orient und Okzident 4, Verlag des Römisch-Germanischen Zentralmuseums, Mainz 2016. Vid. takođe doktorsku disertaciju saradnika RGM iz Majnca Alkivijadisa Ginalisa, odbranjenu na Univerzitetu Oksford 2014. godine, *Byzantine Ports. Central Greece as a Link Between the Mediterranean and the Black Sea* (https://www.academia.edu/9492302/Byzantine_Ports._Central_Greece_as_a_link_between_the_Medi-

Slika 5. Vizantijski brod sa *in situ* nalazima, otkriven prilikom iskopavanja Teodosijeve luke u Carigradu

Zahvaljujući takvim lukama i njihovoj povezanosti sa zaleđem, čak su i kontinentalno izolovane srednjovekovne države poput Bosne, pre prisvajanja Hercegovine, bile u dodiru sa helenskom, rimskom tj. romejskom kulturom. Blizina jadranskih luka i gradskih komuna poput Dubrovnika, Splita i Zadra, omogućavala je dvosmernu komunikaciju i trgovinu strateškim proizvodima sa mora i iz prekomorskih zemalja kao što su so, riba, vino, maslinovo ulje, tekstil, luksuzni predmeti, ali i onima iz centralnih oblasti, poput svežeg i suvog mesa, krzna, kože, voska, žitarica.[9]

---

terranean_and_the_Black_Sea). O interdisciplinarnom pristupu proučavanju vizantijskih luka i pristaništa vid. *Harbours as Objects of Interdisciplinary Research — Archaeology+History+Geosciences*, ur. C. von Carnap-Bornheim, F. Daim, P. Ettel, U. Warnke, Verlag des Römisch-Germanischen Zentralmuseums, Mainz 2018.

[9] J. Mrgić, "Landscape and Settlements of Southeast Europe: Pre-modern Bosnia and Serbia", u: *Landscape in Southeastern Europe*, ur. L. Mirošević, G. Zaro, M. Katić, D. Birt, Studies on South East Europe, vol. 21, ur. Karl Kaser, LIT Verlag Wien GmbH&Co. KG, Wien 2018, 69—87, sa opširnom bibliografijom.

Pomorska komunikacija još od najranijih vremena bila je ustanovljena između balkanske i prve susedne mediteranske, zapadne jadranske obale i Jonskih ostrva kao mikroregiona, ali i šireg prostora centralnog i istočnog Mediterana. Ovaj areal do danas čini jedan od mnogih „mikro Mediterana", a za pitanja ove studije, po stepenu relevantnosti, onaj najvažniji. Mnogo je svedočanstava o tome da je opisani prostor od davnina bio posmatran kao homogena geografsko-istorijsko-kulturna celina. Svest o fizičkom jedinstvu dva mora, a time i kopna koje ih je okruživalo, prepoznaje se u načinu na koji su bili definisani još u najstarijim geografskim spisima. Počev od Herodota i Tukidida, Jadran je nazivan Jonskim zalivom. Kod Strabona ili na Pojtingerovoj tabli kao *Hadriaticum pelagus* obeležena je akvatorija Sicilije, Krita i Jonskog mora. Prokopije je u VI veku Strabonovu prostorno-terminološku markaciju ne bez razloga proširio sve do Severne Afrike.[10]

Stranice otrantskog trougla još jasnije se pojavljuju kao okvir celine kada se sagledaju iz ugla komunikacije i njenih materijalnih proizvoda. Arheološki nalazi u kontinuitetu od ranog neolita do kraja bakarnog doba, praitalski import otkriven na potezu Tremiti—Pijanoza—Palagruža, a odatle, ka severu, na Sušcu, Svecu i Jabuci, nizu jadranskih ostrvaca najbližih apeninskom kopnu, jedan su od najstarijih tragova poprečne rute kretanja morem, ali i odjek pojave formiranja isprva usamljenih pojedinačnih tačaka civilizacije. One su vremenom prerasle u mrežu tačaka, obrazovanu njihovim međusobnim povezivanjem intenzivnijim nego sa nekim drugim, čak i nedalekim mestima. Kretanje kratkim rastojanjima imalo je neizmernu važnost u ustanovljavanju svakog „mikro Mediterana" i premisa njegovog regionalnog identiteta.[11]

Mediteran je bio istovremeno fragmentovana ali i integrisana zona međusobno zavisnih i povezanih mikroekologija i mikroekonomija pojedinih zona naseljenih, najčešće, istovremeno zajednicama sve tri avramitske religije — Jevreja, hrišćana i muslimana, različitih denominacija i etničkog porekla.[12] Upravo tim sponama Balkan je neraskidivo povezan sa mediteranskim svetom, i dalje sa područjem Bliskog istoka, a pre svega sa

[10] I. Stevović, *Praevalis. Obrazovanje kulturnog prostora kasnoantičke provincije*, Podgorica 2014, 23.

[11] Isto. O vezama i umreženosti područja na središtu i severoistoku Jadrana, tj. Dalmacije kao „mikro Mediterana" sa širim mediteranskim svetom, pre svega kroz prizmu proučavanja materijalne i vizuelne kulture, a posebno arhitekture, vid. *Dalmatia and the Mediterranean. Portable Archaeology and the Poetics of Influence*, ur. A. Payne, Brill, Leiden—Boston 2014.

[12] V. A. Metcalfe, M. Rosser Owen, "Forgotten Connections? Medieval Material Culture and Exchange in the Central and Western Mediterranean", *Al-Masaq* 25/1, 2013, 1—8.

maloazijskim kulturnim prostorom. Razumevanje društava i njihove pripadajuće kulturne dinamike religije, kao i vizuelne kulture, kao složenih sistema u okviru kojih odnosi na više različitih nivoa organizacione kompleksnosti generišu različite percepcije i reakcije vezane za različite modalitete identiteta, može da ima za ishod stvaranje koherentne slike o stvarno međusobnom uticaju unutar takvog društva. Fleksibilnost i permeabilnost kros-kulturnih kontakata između različitih religiozno etničkih identiteta bila je moguća upravo zbog uzajamnog delovanja i međusobne povezanosti različitih modaliteta identiteta na makro (ekumenskom), mezo (korporativnom) i mikro (lokalnom) nivou i njihove suptilne pripadajuće retorike. Ti različiti modaliteti identiteta kod savremenog posmatrača proizvode zavaravajući i lažan utisak nedoslednosti i kontradiktornosti. Mediteran se javlja kao region paradoksa, okarakterisan tenzijom između izopštavajuće polemike i inkluzivnih ponuda, ideala rigorozne religiozne čistote i homogenosti naspram praktičnih neophodnosti i potreba različitosti i kompromisa.[13]

Kulturna dinamika religije bila je i ostala jedan od ključnih fenomena najtešnje povezanih sa proizvodnjom i konzumiranjem svih aspekata vizuelne kulture ovog područja pa tako i sa kulturnim transferom, od antičkog doba do kraja predmodernog doba. Oslanjajući se na analizu pisanih izvora, arheoloških ostataka i vizuelne kulture, nedavno objavljena studija Korine Bone i Lorana Brikoa o kultovima i mitovima u pokretu na antičkom Mediteranu otvara metodološku perspektivu posmatranja kulturne dinamike religije Mediterana kao istinskog *longue durée* procesa, napuštajući vertikalnu perspektivu i strogu podeljenost između različitih istorijskih epoha, a ponajviše sagledavajući u istom pogledu kako pagansku tako i monoteističku praksu. U dvanaest poglavlja i dvanaest studija slučaja, ona se, oslanjajući se na koncepte mobilnosti i interkonektivnosti mediteranskog sveta, bavi kretanjima pojedinih božanstava i Boga monoteističkih religija starog sveta od II milenijuma p. n. e. do II veka n. e, uzimajući u razmatranje i lična, proživljena iskustva religije, kao i panmediteranske mreže kultne povezanosti koje vode i šire se daleko izvan okvira bilo kog pojedinačnog polisa. Jer, kako kaže Platon, u izreci koja se pripisuje Talesu iz Mileta, bogovi su svugde, i to kao odgovor na potrebe i delatnost ljudi. U tom kontekstu razmotreni kultovi, od boginje Ištar i njenog putovanja iz Mesopotamije do uloge Tore u

[13] D. Lappa, *Variations on a Religious Theme. Jews and Muslims from the Eastern Mediterranean Converting to Christianity, 17th & 18th Centuries*, Thesis submitted to the European University Insititute, Florence 2015, posebno 32—41.

objedinjavanju jevrejske dijaspore nakon rušenja jerusalimskog hrama 70. godine n. e., prevazilaze sve uvrežene podele i partikularna razmatranja jednog istog fenomena u okviru politeističke i monoteističke religijske prakse koji postoje u dosadašnjoj istoriografiji.[14]

Istorijski primeri rezultata tih putovanja u vizuelnoj kulturi Balkana prisutni su u vidu čitavog niza primera, od sakralnih prostora svetilišta i posvete božanstvima koja su doputovala preko mora do najrazličitijih predmeta koji su imali značajnu ulogu u kultnom ali i privatnom životu ljudi. Jedan od najvažnijih i najbolje proučenih je kult egipatske boginje Izide. Iako se figurine ovog božanstva nalaze na različitim lokalitetima širom Egejskog mora već od VII veka p. n. e., poput onih iz hrama boginje Atine u Kamirosu na Rodosu, širenje egipatskih kultova na mediteranskom prostoru prevashodno je vezano za helenističko razdoblje. Posveta Izidi svetilišta u Pireju poklapa se hronološki sa trenutkom kad je Aleksandar Veliki osvojio Egipat, a kult ove egipatske boginje prevashodno se vezuje za egipatske i grčke pomorce i trgovce, ali i vojnike koji su putovali između Aleksandrije i grčkih luka od IV veka p. n. e. Vojnici koji su služili pod Ptolomejima u Egiptu preneli su Izidin kult na Kiklade. Tako se na Teri (Santoriniju) nalazi jedan od najstarijih hramova njoj posvećenih na Egejskom moru. Vojnici koji su bili u službi Antigonida iz Makedonije zaslužni su za podizanje Izidinog svetilišta na Eubeji. U Dionu pod Olimpom su, kao rezultat širenja njihovih kultova, egipatska božanstva, a pre svega Izida, u III veku p. n. e. smenila prvenstvo kultova grčkih boginja Afrodite i Artemide (Slika 6). Već su u prvim kontaktima sa egipatskim kultovima u arhajsko doba Heleni preinačili kult Izide u kult univerzalnog božanstva. Izidine misterije, koje su bile slične panhelenskim svetkovinama ili Artemidinim misterijama u Eleusini, bile su u potpunosti grčka tvorevina, delom verovatno i zato što su mnogi aspekti njenog kulta u Egiptu ostajali nedostupni strancima.[15]

Posebno važno svetilište egipatskih božanstava Izide, Serapisa i Harpokrata nalazilo se na ostrvu Delos u Egejskom moru (Slika 7). *Translatio* kultova bio je ovde upotpunjen i istinskim, zaokruženim *translatio Aegypti*. Reka Inopa koja izvire pod planinom Kintos na Delosu bila je izjednačavana sa Nilom, jer se verovalo da ova moćna i sveta egipatska

---

[14] C. Bonnet, L. Bricault, *Quand les dieux voyegent: cultes et mythes en mouvement dans l'espace méditerranéen antique. Histoire des religions*, Genève 2016.

[15] M. Bommas, "Isis, Osiris, and Serapis", u: *The Oxford Handbook of Roman Egypt*, ur. C. Riggs, Oxford University Press 2015, 427—435, posebno 427—428.

Slika 6. Izidin hram u Dionu pod Olimpom

Slika 7. Izidin hram na Delosu

reka ponire na svom ušću iz Delte u Mediteran, teče ispod mora u središtu zemlje i ponovo izvire na ovom ostrvu. Kao čvorište mediteranske trgovine i strateški važna tačka pomorskih puteva ovo je svetilište na Delosu odigralo i izuzetno važnu ulogu u prenošenju egipatskih kultova u Rim, u lučke gradove na Apeninskom poluostrvu kao što su Puteoli, Miseno i Ostija.[16] S druge strane, glavno svetilište Zevsa, vrhovnog boga Olimpa, u helenskom svetu nalazilo se u Dodoni, u Epiru (Slika 8). Ovo sakralno mesto nulte kategorije i proročište kroz koje se božanstvo oglašavalo šuštanjem lišća svetog, posebno obožavanog, kultnog drveta hrasta i zvečanjem karika o njega okačenih, bilo je još jedna posebno važna tačka mediteranske, bliskoistočne i balkanske topografije i mreže kultne isprepletanosti. Ono je još jedna tačka od ključnog značaja za fenomen prenošenja svetosti sa istoka Mediterana na Balkan, iskazan kroz narativ o prenošenju proročišta iz Tebe u Egiptu u Epir.[17]

U vreme pozne antike, prenošenje tj. uvođenje nove, monoteističke religije — hrišćanstva — iz Male Azije, delovanjem, propovedanjem i poslanicama Svetog apostola Pavla (Slika 9), vezuje se za Filipe, Korint a posebno Solun, koji doživljava rekonfigurisanje vizuelnog i sveukupnog identiteta od prestonice paganskog tetrarhijskog Rima u grad objave Svetog Pavla, teofanije i zaštite Svetog Dimitrija.[18] Daleko trajnije, i nikad prekinuto od pojave hrišćanstva do danas, jeste povezivanje obrazovanjem sistema hijerotopije, sakralizacijom prostora, tj. postupkom *translatio Hierosolymi*.[19] Navedeni idejni konstrukt bio je zasnovan prvenstveno na širenju reči ovaploćenog Logosa, te na putovanjima svetih ljudi koji su svedočili o hrišćanskim vrlinama i posredovali u izlivanju

[16] L. Bricault, *Atlas de la diffusion des cultes isiaques, (IVe siecle av. J.-C.-IVe siecle apr. J.-C.)*, Paris 2001.

[17] M. Dieterle, *Dodona. Religionsgeschichtliche und historische Untersuchungen zur Entstehung und Entwicklung des Zeus-Heiligtums*, Zürich — New York 2007.

[18] *From Roman to Early Christian Thessalonike, Studies in Religion and Archaeology*, ur. L. Nasrallah, C. Bakirtzis, S. J. Friesen, Harvard University Press 2010. Vid. Ф. Баришић, *Чуда Димитрија Солунског као историјски извори*, Београд 1953; C. Bakirtzis, "Pilgrimage to Thessalonike: The Tomb of St. Demetrios", *Dumbarton Oaks Papers* 56, 2003, 175—192.

[19] O postupku *translatio Hierosolymi* vid. J. Erdeljan, *Chosen Places. Constructing New Jerusalems in Slavia Orthodoxa*, Brill, Leiden—Boston 2017, posebno 52—62, sa opsežnom literaturom. O načelima hijerotopije i stvaranju sakralnih prostora vid. *Иеротопия. Создание сакральных пространств в Византии и Древней Руси*, ред. А. М. Лидов, Прогресс-традиция, Москва 2006, posebno А. М. Лидов, „Иеротопия. Создание сакральных пространств как вид творчества и предмет исторического исследования", 9—31; А. М. Лидов, *Иеротопия. Пространственные иконы и образы-парадигмы в византийской культуре*, Дизайн. Информация. Картография, Москва 2009.

Slika 8. Temenos Zevsovog proročista u Dodoni

Slika 9. Sveti apostol Pavle, Crkva Hosios Lukas u Beotiji, Grčka, XI vek

božanske blagodati na zajednice i prostore u kojima su boravili živim telom ili njegovim oduhovljenim moštima, i na oblikovanju svetih mesta vezanih za njihov život i podvig, kao i obeležavanju sakralne topografije morskog i obalnog prostranstva od strane moreplovaca i putnika, neretko upravo na putevima hodočašća koji spajaju tačke mediteranskog sveta.[20]

Jedan od ogromnog broja primera bila su i hrišćanska hodočašća u Korint i u druge tačke na području savremene Grčke koje su imale svoje prethodnike u (pozno)antičkom dobu. Korint je veoma rano dao svoje predstavnike u horu prvih hrišćanskih svetitelja. Kultovi korintskih mučenika Leonide i Kvadratusa privlačili su hodočasnike izdaleka, sa tačaka hrišćanskog sveta daleko od Peloponeza. Korint i Atina bili su takođe odredišta koja su privlačila putnike kao gradovi misije Svetog apostola Pavla, dok je Patras imao i relikvije Svetog Andreja. Iako se jug Grčke, jug Balkanskog poluostrva, nikad nije mogao takmičiti sa Svetom zemljom ili Carigradom kao hodočasničko odredište i centar, žitelji Korinta i drugih gradova u okolini sa uspehom su konstruisali i crkve i narative koji su tokom srednjeg veka privlačili hodočasnike iz čitave hrišćanske ikumene, pre svega preko mediteranskih puteva i sa mediteranskih prostora. O tome svedoče mnogobrojni nalazi materijalne kulture, iznad svega vizuelne.[21]

Dublje u unutrašnjosti Balkana, na teritoriji današnje Srbije, Severne Makedonije i Bugarske, nastaju i traju sve do današnjih dana kao centri kulta balkanskih svetitelja, i odredišta ne samo lokalnih hodočašća, sakralni prostori vezani za podvig balkanskih anahoreta XI i XII veka, Svetog Prohora Pčinjskog (Slika 10), Svetog Joakima Osogovskog, Svetog Gavrila Lesnovskog i Svetog Jovana Rilskog.[22] Ipak, najveći centri

[20] Vid., na primer, E. Malamut, *Sur la route des saints byzantins*, CNRS Éditions, Paris 1993; M. Bacci, "Portolano sacro. Santuari e immagini sacre lungo le rotte di navigazioe del Mediterraneo tra tardo Medioevo e prima età moderna", u: *The Miraculous Image in the Late Middle Ages and Renaissance, Papers from a conference held at the Accademia di Danimarca in collaboration with the Bibliotheca Hertziana (Max-Planck-Institut für Kunstgeschichte), Rome 31 May — 2 June 2003*, ur. E. Thunø, G. Wolf, "L'Erma" di Bretschneider, Rome MMIV, 223—248; *The Holy Portolano. The Sacred Geography of Navigation in the Middle Ages*, Fribourg Colloquium 2013, ur. M. Bacci, M. Rohde, Walter de Gruyter GmbH, Berlin—Munich—Boston 2014.

[21] A. Robertson Brown, "Medieval Pilgrimage to Corinth and Southern Greece", *HEROM*, Vol. 1, no. 1, 2012, 197—227. Za pregled nastajanja i funkcionisanja kultova prvih hrišćanskih svetitelja sa Balkana, prevashodno sirmijumskih mučenika, vid. M. Милин, „Зачеци култова ранохришћанских мученика на тлу Србије", u: *Култ светих на Балкану*, ур. М. Детелић, Крагујевац 2001, 9—24.

[22] Jedan od najbolje istraženih a koji se nalazi na teritoriji Srbije je kult i sakralni prostor vezan za Svetog Prohora Pčinjskog u manastiru njemu posvećenom kod Vranja, koji datira iz vremena cara Romana IV Diogena (1067—1071) a obnovio ga je u XIV veku srpski kralj Milutin; mono-

Slika 10. Manastir Sveti Prohor Pčinjski kod Vranja

hodočašća nastali na Balkanu tokom predmodernog razdoblja jesu oni vezani za Bogorodicu i njoj posvećene svete gore — sa Atosom kao najvažnijim Novim Sinajem srednjovekovnog i ranog modernog razdoblja u istočnom hrišćanstvu (Slika 11), ali i drugim primerima poput Bogorodičine crkve pod planinom Babunom kod Prilepa i čitavog sakralnog prostora treskavičke svete gore posvećene Majci Božijoj.[23]

---

grafija o Prohoru Pčinjskom: *Манастир Свети Прохор Пчињски*, приредио Н. Макуљевић, Епархија Врањска Српске православне цркве, Српски православни манастир Свети Прохор Пчињски, Центар за визуелну културу Балкана Филозофског факултета Универзитета у Београду, Београд—Врање 2015. Vid. takođe С. Габелић, *Манастир Лесново. Историја и сликарство*, Филозофски факултет у Београду, Београд 1998; S. Smolčić-Makuljević, "Two Models of Sacred Space in the Byzantine and Medieval Visual Culture of the Balkans. The Monasteries of St Prohor of Pčinja and Treskavac", u: *Jahrbuch der Österreichischen Byzantinistik* 59 (Wien 2009), 191—202, sa starijom literaturom; А. Куюмджиев, *Стенописите в главната църква на рилския манастир*, Българска академия на науките, Институт за изследване на изкуствата, София 2015, sa starijom literaturom i izvorima.

[23] S. Smolčić-Makuljević, "The Holy Mountain in Byzantine visual culture of medieval Balkans Sinai — Athos — Treskavac", u: *Heilige Landschaften — Heilige Berge. Akten des 8. Internationalen Barocksommerkurses der Stiftung Bibliothek Werner Oechslin*, Einsiedeln—Zürich 2014, 242—261, sa starijom literaturom. Vid. takođe Ista, "Two Models of Sacred Space in the Byzantine and Medieval Visual Culture of the Balkans. The Monasteries of St Prohor of Pčinja and Treskavac".

Slika 11. Sveta Gora Atoska

Pored umreženosti vezane za kulturnu dinamiku religije, Balkan i Mediteran bili su, po potrebi, i administrativno povezani. Godine 536. car Justinijan I je ustanovio novu administrativnu jedinicu na istočnom Balkanu — *quaestura exercitus,* tako što je spojio provincije Moesia Inferior i Scythia Minor sa bogatim provincijama na Egejskom moru i istočnom Mediteranu, poput Kipra, kojima je upravljao prefekt Skitije sa sedištem u današnjoj Varni (Odessos) u Bugarskoj. Jedino što je povezivalo delove ove administrativne jedinice bili su more i plovni deo Dunava. Razlog za ovu administrativnu meru bio je da se finansijski i vojno obezbede odbrana Limesa i granice Carstva na Dunavu. *Quaestura exercitus* bila je prevashodno zamišljena kao način distribuiranja anone.[24]

2. METODOLOŠKI PRISTUPI

Kako naći put ka sagledavanju svih složenosti kulturne dinamike religije i iz nje proizišlog kulturnog transfera koji je obeležio vizuelnu kulturu Balkana srednjovekovnog i ranog modernog doba, nastalu iz kontakta sa mediteranskim svetom? Istorija umetnosti je od objavljivanja fundamentalno značajnih studija Ota Demusa — *Byzantine Art and the*

[24] F. Curta, *Southeastern Europe in the Middle Ages, 500—1250,* 46—47. Vid. takođe *The economic history of Byzantium: from the Seventh to the Fifteenth Century,* ur. A. Laiou, Dumbarton Oaks 2002.

West,[25] i Ernsta Kicingera — *The Art of Byzantium and the Meideval West,*[26] kao disciplina i glede svojih metodoloških postavki i pristupa od kojih polazi u proučavanju različitih pojava vizuelne kulture srednjovekovnog i ranog modernog doba u širem mediteranskom arealu, prešla dug put od vremena binarnog razmatranja „uticaja", predložaka i njihovog ciruklisanja iz vizure dihotomije Vizantije i Zapada. Premda nacionalne istoriografije na Balkanu i dalje ostaju postojane kao tvrđave taksonomije i formalizma, odavno se u širim okvirima discipline razmišlja u kategorijama komunikacije pre nego uticaja, regiona pre nego centara i provincija, potražnje i konzumiranja pre nego likovnog stvaranja kao delatnosti sa *per se* teleološkim predznakom, recepcije pre nego samodovoljnih modela koji se prenose (valjda sami od sebe) i slepo kopiraju.[27]

Pored opštih metodoloških postavki i problema u pristupima sagledavanja vizuelne kulture predmodernog doba, kad je u pitanju Balkan a posebno njegove prirodne i neraskidive veze sa mediteranskim svetom, opstrukcije u sagledavanju stvarnosti usložnjene su i umnožene i opštim, orijentalističkim, kolonijalističkim stavovima o drugosti Balkana. Još je Hegel u *Fenomenologiji duha* ustanovio da je nemački duh duh Novog sveta, misleći tu na linearno napredovanje duha od Istoka ka Zapadu koji se, tako, iz Grčke prenosi u Nemačko carstvo. Njegovo prvo izvorište na Istoku stoga ostaje izvan duha i bez njega. Iza i izvan tog sveta, sveta duha i apsolutnog znanja, ostao je jug Evrope, sve zajedno sa Grčkom, budući da je u Hegelovo vreme ova teritorija postojala kao liminalni prostor u okviru Evrope, na šta ovaj filozof ukazuje u svom uvodu u *Filozofiju istorije.*[28]

Uz to, tu je i problem samo isključivosti i isključenosti vizantijskih studija iz korpusa medievistike i metodoloških pravaca studija predmodernog doba, pa time i ukupnog nasleđa Vizantije, kao definišućeg kulturnog i religijskog obrasca ovog prostora od pozne antike do ranog modernog doba. U „normalnoj" istoriografiji ovog perioda, predmodernog doba, to je dodatno naglašeno zbog isključivanja vizantijskih i

[25] O. Demus, *Byzantine Art and the West,* New York University Press, New York 1970.

[26] E. Kitzinger, *The Art of Byzantium and the Medieval West: Selected Studies,* ur. W. E. Kleinbauer, Indiana University Press, Bloomington, Indiana 1976.

[27] O pitanjima istoriografije vid. И. Стевовић, *Византијска црква. Образовање архитектонске слике светости,* Еволута, Београд 2018, 13—56; Isti, „Medieval Art and Architecture as an Ideological Weapon: the Case of Yugoslavia", *Проблеми на Изкуството* 2, 2018, 3—8.

[28] Walter D. Mignolo, *Local Histories/Global Designs,* xiii.

osmanskih/islamskih studija iz opšteg opsega i kruga srednjovekovnih studija i studija predmodernog doba.[29]

Jednako limitirajuće je i stanovište „normalne" nauke o isključivo vizantijskoj prirodi civilizacije i vizuelne kulture Balkana u rano moderno doba izraženo ograničavajućim terminom postvizantijska umetnost koji podrazumeva isključivo ostajanje u okvirima tradicije i mehaničko kopiranje starijih srednjovekovnih predložaka, a bez svesti o realnosti izuzetne kros-kulturalne povezanosti hrišćanskog mileta u Osmanskom carstvu sa širim mediteranskim svetom kao i vizuelnom kulturom Centralne i Istočne Evrope. Gore izneti problem praćen je i problemom nastanka (konstruisanja) srednjovekovnog slovenskog identiteta na Balkanu i recepcije modela romejske civilizacije, što je uvek podrazumevalo živ kontakt i jedinstveno tkivo sa mediteranskim svetom naspram tumačenja u nacionalnim istoriografijama, autohtonosti kao određujućeg činioca srednjovekovne kulture u državama pravoslavnih Slovena na Balkanu. Konačno, isključivanjem islama kao stranog tkiva, neprijateljskog i demonizovanog drugog.[30]

U tom smislu, u cilju prevazilaženja nedostataka nastalih kao rezultat takvog pristupa, studije vizuelne kulture Balkana predmodernog doba mogu u mnogome da se oslone na savremena iskustva iberijskih studija budući da ova dva mediteranska poluostrva, jedno na njegovom istoku a drugo na zapadu, dele značajne sličnosti epistemološke situacije i geografsko-istorijsko-religiozno-kulturoloških prilika susretanja, preplitanja, umrežavanja i suživota hrišćanskih, islamskih i jevrejskih elemenata.[31] O udelu jevrejskog činioca u vizuelnoj kulturi Balkana, takođe neraskidivo prirodno povezanog sa mediteranskim svetom, a posebno o

---

[29] V. Stanković, "Putting Byzantium Back on the Map", *Modern Greek Studies Yearbook* 32/33, 2016/2017, 399—405; P. Marciniak, "Oriental like Byzantium Some Remarks on Similarities Between Byzantinism and Orientalism", u: *Imagining Byzantium. Perceptions, Patterns, Problems*, ur. A. Alshanskaya, A. Gietzen, C. Hadjiafxenti, Byzanz zwischen Orient und Okzident 11, Studien zur Ausstellung "Byzanz & der Westen. 1000 vergessene Jahre", Verlag des Römisch-Germanischen Zentralmuseums, Mainz 2018, 47—53.

[30] Za nove poglede i pristupe ovom problemu vid. E. Moutafov, I. Toth, "Byzantine and Post-Byzantine Art: Crossing Borders — Exploring Boundaries", u: *Byzantine and Post-Byzantine Art: Crossing Borders*, ur. E. Moutafov, I. Toth, Sofia 2018, 11—36, i radove u navedenom zborniku. Vid. takođe D. G. Angelov, "Byzantinism: The Imaginary and Real Heritage of Byzantium in Southeastern Europe", u: *New Approaches to Balkan Studies*, ur. D. Keridis, E. Elias Bursac, N. Yatromanolakis, Dulles VA 2003, 3—23.

[31] M. Rosser-Owen, "Mediterraneanism: how to incorporate Islamic art into an emerging field"; A. Metcalfe, M. Rosser-Owen, "Forgotten Connections? Medieval Material Culture and Exchange in the Central and Western Mediterranean".

vizuelnoj kulturi Sefarda koji stižu na Balkan nakon izgona iz Španije 1492. godine, tek u skorije vreme počinje da se piše sa stanovišta kroskulturnih kontakata.[32]

Stoga je jedan od ciljeva ove studije, koja nudi razmatranja različitih aspekata vizuelne kulture Balkana u okviru i kontekstu njenih prirodnih veza sa Mediteranom, prevazilaženje ograničenja taksonomijskog pristupa „normalne" istorije umetnosti. Zašto metodološki okviri mediteranskih studija danas daju odgovarajuće polazište i perspektivu za razumevanje vizuelne kulture Balkana, i to ne samo zarad suštinske povezanosti, puteva konektivnosti ljudi, stvari, slika, svetosti već i teoretski?[33] Tokom proteklih deset godina ogromno je interesovanje u društvenim i humanističkim, naročito istorijskim naukama, vezano za Mediteran kao okvir istorijskih istraživanja, uključujući studije ekonomije, društva, književnosti, religije, umetnosti, antropologije i sociologije, kao i Mediterana kao okvira za analizu savremenih politika, socijalnih, vojnih, ekonomskih i onih vezanih za prirodnu sredinu. Ova perspektiva, ili perspektive, budući da je u svakoj pojedinačnoj disciplini novi pogled ka mediteranskim okvirima preduzet gotovo potpuno nezavisno, sa različitim ciljevima i trasama kretanja, zahteva i objašnjenje i novo vrednovanje. Postavljanje pitanja u mediteranskim okvirima, naspram široko prihvaćenih i na prvi pogled jasnije određenih ili omeđenih okvira koji se sad već intuitivno podrazumevaju kao jasne kategorije poput Evrope, Afrike, Bliskog istoka, Istoka, Zapada, Severa i Juga, hrišćanskog i islamskog sveta ili pak jednostavno hrišćanstva, judaizma i islama, čin je koji nosi i više implikacija od provokativnosti. On postavlja pitanja i stavlja na test univerzalnost i validnost paradigmi koje ove odrednice oličavaju. Mediteran ne treba više posmatrati jednostavno kao „središnji" u strogo geografskom smislu već kao neksus

[32] Vid. *Common Culture and Particular Identities: Christians, Jews and Muslims in the Ottoman Balkans.*

[33] B. A. Catlos, "Why the Mediterranean?", u: *Can We Talk Mediterranean? Conversations on an Emerging Field in Medieval and Early Modern Studie*, 1—17. Vid. svakako i A. Shalem, "'Beautiful minds': Henri Pirenne, Ernst Herzfeld and the Mediterranean", o Mediteranu kao paradigmatičnom primeru fluidnosti prostora i kretanja ljudi, ideja i predmeta iz vizure globalne istorije i istorije umetnosti. Stavove koji uzdržano gledaju na mogućnosti mediteranskih studija i mediteranskih okvira kao odgovarajućih za razumevanje različitih aspekata istorije, religije i vizuelne kulture nastale u rimskom tj. romejskom svetu, od pozne antike do pada Carigrada 1453. godine, iznose, na primer, G. Woolf, "A Sea of Faith?", *Mediterranean Historical Review* 18/2, 2003, 126—141; A. Cameron, "Thinking with Byzantium", *Transactions of the Royal Historical Society*, Sixth Series, Vol. 21, 2011, 39—57.

lociran posred ili između svake od gore navedenih binarnih ili trostrukih kategorija.

Mediteranske studije su danas usredsređene na Mediteran kao objedinjen, jedinstven, celovit region u smislu ekonomskih, društvenih, političkih i kulturnih tokova od pozne antike do ranog modernog doba, okvirno od Justinijanovog vremena do Kandijskog rata i austro-turskih ratova. Tokom protekle decenije taj i takav Mediteran izašao je iz senke u akademskim istraživanjima i trenutno oblikuje, u svim domenima društvenih i humanističkih nauka, najavangardnije poglede i pristupe interdisciplinarnim istraživanjima koja daju nove rezultate i pokreću sve veći broj istraživačkih projekata, naučnih centara, akademskih obrazovnih programa, konferencija, stručnih udruženja, i rezultiraju objavljivanjem sve većeg broja specijalizovanih časopisa i edicija knjiga u Evropi, u Americi, na Bliskom istoku i u Aziji, naročito u domenu istorije, studija religije, književnosti i istorije umetnosti.[34]

U starijoj istoriografiji je pojam i kontekst Mediterana najčešće bio korišćen kao okvir posmatranja perioda pozne antike koja je time dobijala širi, komparativni kontekst, izvan strogo gledano isključivih okvira Rimskog carstva tj. kulture i istorije helenizma i rimske civilizacije. U takvim okvirima, i samo takvim, od vremena kad je sedamdesetih godina prošlog veka termin pozna antika počeo da se upotrebljava kao okvir istraživanja i interesovanja za transkulturni ili kroskulturni proces i razmenu,[35] ono što će u narednoj deceniji istog stoleća dobiti i formalni naziv kulturni transfer(t),[36]figurirao je i Balkan kao sastavni deo mediteranskog sveta, štaviše kao jedan od njegovih ključnih delova u poznoantičko doba. U tom smislu Ernst Kicinger naglašava kako je mediteranski svet u pozno rimsko doba zapravo svet hrišćanskog Rimskog carstva čiji je ključni sastavni deo i Balkan.[37] Problem i cezura u „normalnoj nauci" i istoriografiji nastaju u razmatranju istorije i vizuelne kulture Romejskog carstva posle vladavine cara Justinijana I. Od tog vremena, sagledavanje prirodne (kroskulturne, političke, trgovinske, verske) utemeljenosti, povezanosti Balkana i Mediterana, postaje

---

[34] Vid. gore, Prolog, napomena 1.

[35] J. Elsner, "The birth of late antiquity: Riegl and Strzygowski in 1901", *Art History* 25, 2002, 374—76; "H. Maguire, Ernst Kitzinger: 1912—2003", *Dumbarton Oaks Papers* 57 (2003), ix—xiv.

[36] Vid. dole, napomena 44.

[37] E. Kitzinger, *Byzantine art in the making: main lines of stylistic development in Mediterranean art, 3rd—7th century*, Harvard University Press,Cambridge 1977, 7—21.

nevidljivo, neposredno uslovljeno problemom percepcije, istraživanja i predstavljanja Vizantijskog carstva, njegove kulture i umetnosti.[38]

Imajući u vidu takve činjenice, ne čudi nimalo što je staro, tradicionalno akcentovanje Carstava koje, uz sve nominalno neutralne taksonomijske odrednice, ipak sobom nosi implikaciju da su upravo ona, carstva, bila glavni akteri u procesu stvaranja i prenošenja, cirkulisanja ideja, ljudi, verovanja, artefakata — u postepenom uzmicanju. Uloga Vizantijskog carstva, na primer, tradicionalno je dominirala istraživanjima kulturnog pejsaža, tj. vizuelnih umetnosti i vizuelne kulture istočnog Mediterana, i do skoro je i dalje posmatrana kao spona, most između Istoka i Zapada, naročito kad su u pitanju prenošenja ornamenata ili tehnike izrade određenih umetničkih predmeta. No, takvo uopšteno zaključivanje i površno sagledavanje „posredovanja" Vizantije između tzv. Istoka i Zapada formalno samo ovekovečuje tradicionalnu taksonomijsku shemu i vrednosni metar. Neophodno je, stoga, sagledati realnost izvan sheme „carstava" i učiniti pokušaj da se, kroz više pojedinačnih studija slučaja, sagledaju složenosti i nijanse oblikovanja i značenja vizuelne kulture nastale kroz međusobnog delovanja Balkana i Mediterana, uvažavajući permeabilnost granica i često odsustvo jedinstvene i centralizovane državne ktitorske potražnje.[39]

Uz to, još jedan problem u sagledavanju vizantijskog nasleđa na Balkanu, inherentno mediteranskog u samoj suštini svog istorijskog nastanka i trajanja, u ovom slučaju kroz prizmu njegove savremene recepcije, jeste i činjenica što se tokom druge polovine XX veka, od Drugog svetskog rata do pada Berlinskog zida, na Grčku, kao samo proklamovanog naslednika vizantijske kulture[40] gledalo kao na odvojenu od ostatka Balkana. Hladni rat, prema rečima Ahileje Vorcelasa, doprineo je formiranju gledišta da je, premda geografski deo ovog poluostrva, Grčka potpuno različita od „Balkana", uz postavljanje Grčke

[38] O ovom problemu u pristupu proučavanju vizantijske vizuelne kulture, posebno arhitekture, vid. И. Стевовић, *Византијска црква. Образовање архитектонске слике светости*, 24—29.

[39] W. D. Mignolo, *Local Histories/Global Designs, Coloniality, Subaltern Knowledge, and Border Thinking*, 49—90. Vid. takođe A. Contadini, "Sharing a Taste? Material Culture and Intellectual Curiosity around the Mediterranean, from the Eleventh to the Sixteenth Century", u: *The Renaissance and the Ottoman World*, ur. A. Contadini, C. Norton, Ashgate 2013, 23—61, o pitanju posredovanja Vizantije između Istoka i Zapada posebno 24.

[40] D. Mishkova, "Academic Balkanisms: Scholarly Discourses of the Balkans and Southeastern Europe", u: *Entangled Histories of the Balkans*, Volume Four — Concepts, Approaches, and (Self-)Representations, ur. R. Daskalov, A. Vezenkov, Brill, Leiden — Boston 2017, 44—114.

kao paradigme zapadnih vrednosti i time suprotstavljene „varvarskom" (čitaj komunističkom) Balkanu, čime je unutrašnjost — sever Balkana, bila lišena čak i svoje, sasvim nedvosmislene romejske kulturne komponente. Na takav stav su se nadovezale, možda i nehotice, iako malo verovatno, i podržale ga nacionalne istoriografije ili pak nacionalna istoriografija konstrukta jugoslovenskog ambijenta koja je, zarad osmišljavanja političkog i ideološkog konstrukta jugoslovenske kulture, isticala tobožnju samosvojnost srednjovekovne kulture Srbije, vezane za vizantijske korene no ipak postojeće i autoreferentne, u samo svom prostoru izolovanom od ostatka realnog srednjovekovnog sveta, primajući iz njega „uticaje" poput nekontrolisanih uticaja sila prirode.[41]

Na sreću, bilo je i sasvim drugačijih, u dubini i širini znanja i intelektualnih pogleda utemeljenih gledišta. Dimitrije Bogdanović je u predgovoru srpskog prevoda *Poetike ranovizantijske književnosti* Sergeja Sergejeviča Averinceva jasno rekao sledeće: „Tako je ranovizantijska književnost i za nas, za srpsku kulturu, važan posrednik preko kojeg smo, kao narod, uspostavili aktivne veze sa grčko-rimskom civilizacijom Sredozemlja i sa bliskoistočnim nasleđem, jevrejske, iranske, koptske i sirijske kulture."[42]

Mediteran u smislu u kojem se danas upotrebljava taj termin u društvenim i humanističkim naukama, najpre u kontekstu mediteranskih studija, uglavnom podrazumeva hronotop osporavanog i višeznačnog, različito vrednovanog i tumačenog, hrišćansko-islamsko-jevrejskog dugog srednjeg veka, daleko od strogosti klasicističkog konstrukta grčko-rimskog Mediterana „izribanog" belog mermera sa koga je nasilno uklanjana prvobitna boja. Nastao je kao rezultat početaka discipline istorije umetnosti i estetike u doba prosvetiteljstva.[43] Savremeni Mediteran, u smislu u kom ga današnje mediteranske studije koriste, omogućava kao okvir sagledavanje i istraživanja sa ciljem da se uobliče značajna istorijska pitanja koja prethodno nisu bila ni prepoznata u okvirima studija kulture zasnovanih na konstruisanim, monolitnim entitetima. Šta je to zapravo potrebno kako bi se razvilo složeno, višestrano (ne-monolitno) razumevanje dinamike procesa nastanka i međusobnog komuniciranja između tih mediteranskih

[41] I. Stevović, "Medieval Art and Architecture as an Ideological Weapon: the Case of Yugoslavia".

[42] С. С. Аверинцев, *Поетика рановизантијске књижевности*, СКЗ, Београд 1982, 8—9.

[43] J. I. Porter, "What is 'Classical' About Classical Antiquity. Eight Propositions", *Arion* 13.I, 2005, 27—61.

Slika 12. Mišel Espanj

identiteta u gore navedenom razdoblju?[44] Šta je potrebno da bi se tom mediteranskom diskursu potpuno ravnopravno, zasnovano na istorijskim činjenicama i dokazima materijalne i vizuelne kulture, polazeći od istih premisa konektivnosti, kroskulturne komunikacije, bez isključivosti monolitnih/carskih/nacionalnih okvira i binarnih vrednosnih određivanja, priključilo i razmatranje vizuelne kulture Balkana?

Stanovišta i konceptualni okviri teorije kulturnog transfer(t)a (*la notion de transfert culturel*), kako ih je formulisao Mišel Espanj (Slika 12) zajedno sa Mihaelom Vernerom, izvesno čine zdravu osnovu za takvo posmatranje. Teorija kulturnog transfera nastala je sredinom osamdesetih godina prošlog veka u okvirima razvoja francuske germanistike i ticala se, od samog početka, obe strane, i Francuske i Nemačke. Uobličena kao rezultat filoloških studija i studija književnosti, početkom devedesetih počela je da se primenjuje i u analizi fenomena obuhvaćenih istraživanjima i naučnim interesovanjima ostalih društvenih i humanističkih nauka na širem istorijskom i geografskom planu, uključujući političke i kulturne veze na teritoriji Francuske, Nemačke, Rusije, Italije, anglofonih zemalja i zemalja Centralne i Istočne Evrope. Delotvornost metoda proširila je primenu teoretskih postavki i na humanističke discipline poput istorije, istorije umetnosti, arhitekture, urbanizma. Pristupi kulturnog transfera omogućavaju napuštanje ograničavajućih okvira tradicionalnih zapadnoevropskih teorija literarne ili istorijske komparativistike, kulturne recepcije i difuzionizma. Analiza kulturnog transfera podrazumeva prenos u drugu sredinu određenih elemenata, svojstvenih drugom kulturno-geografskom arealu, i njihovu sledstvenu transformaciju. Po pravilu, ona podrazumeva mehanizam recepcije tih elemenata koji nije obeležen doslovnim prenosom originala već preosmišljavanjem u drugom, različitom

[44] V. C. Farago, "Desiderata for the Study of Early Modern Art of the Mediterranean", u: *Can We Talk Mediterranean? Conversations on an Emerging Field in Medieval and Early Modern Studies*, 49—64.

kontekstu, adaptaciju, prilagođavanje, transformaciju. Stoga teorija kulturnog transfera, u domenima koji se tiču svih aspekata kulturne produkcije — od tehnologije do ideologije, ne podrazumeva oslanjanje na binarne modele uzor — kopija, centar — provincija, napredno — zaostalo, moderno — konzervativno, na vrednosna poređenja i kategoriju tzv. uticaja.[45]

„Svaki prelazak određenog predmeta kulture iz jednog u drugi kontekst rezultira promenom njegovog smisla, dinamikom ponovnog promišljanja koja se ne može jasno prepoznati ako se u obzir ne uzmu istorijske okolnosti i vektori tog prelaženja... Transfer nije isto što i samo transport, već daleko više metamorfoza i ovaj termin nikako ne treba svoditi na pitanje nesrećno učitano i banalizovano kroz pojam kulturne razmene. Ovde se više radi o reinterpretaciji kulturnih dobara, a manje o njihovoj cirkulaciji razmeni, rasprostranjenosti, širenju... Istraživanje kulturnih transfer(t)a treba da prihvati mogućnost da predmet kulture može biti prisvojen a takođe i emancipovan od modela na kojem je sazdan, da je reč o transpoziciji..." Shodno tome, napušta se princip poređenja i prednost se daje posmatranju i uvažavanju metisaža i hibridnosti. „Takođe, kategorija uticaja (*catégorie de l'influence*), čija etimologija služi da ukaže na njenu magijsku dimenziju, treba da bude zamenjena kritičkim pristupom istorijski potvrđenim i utvrđenim kontaktima i adaptacijama i reinterpretacijama koje su ti kontakti iznedrili. Podjednako se treba uzdržavati i od oslanjanja na koncepte autentičnosti u transmisiji, prenošenju, ili superiornosti originala nad kopijom... Ne meri se krausizam stepenom vernosti Šelingu, ništa više no što se ne sudi Helderlinovom prevodu Sofokla prema stepenu egzaktnosti kojim su preneti delovi teksta... Sve društvene grupe koje su mogle da prenose iz jednog nacionalnog ili lingvističkog ili etničkog ili religioznog prostora u drugi mogle su biti vektori kulturnog transfer(t)a... trgovci... prevodioci, učitelji... politički, ekonomski, religijski emigranti, umetnici..." Kulturni transfer nikad se ne odvija samo između dve strane, uvek je višestran, sa više različitih činilaca i zbog toga daleko

---

[45] *Transferts. Les relations interculturelles dans l'espace franco-allemand (XVIIIe—XIXe siècles)*, ur. M. Espagne, M. Werner, Editions Recherche sur les Civilisations, Paris 1988; M. Espagne, *Les transferts culturels franco-allemands*, PUF, Paris 1999; Isti, "Cultural Transfers in Art History", u: *Circulations in the Global History of Art*, 97—112. Vid. takođe, primenjeno na kulturu srednje Azije, *Cultural Transfers in Central Asia: Before, During and After the Silk Road*, ur. S. Mustafaev, M. Espagne, S. Gorshenina, C. Rapin, A. Berdimuradov, F. Grenet, IICAS, Paris—Samarkand 2013.

Slika 13. Gerhard Volf

prevazilazi horizonte još uvek dominantnih nacionalnih diskursa društvenih i humanističkih nauka.[46]

Poput teorije kulturnog transfera, i mediteranske studije otvaraju prostor i trasiraju jedan mogući put istraživačima vizuelne kulture predmoderne epohe koji je kritički nastrojen, ima kritički stav prema konceptu i metodološkom pristupu homogenih i zatvorenih nacionalnih identiteta time što, usmerava ka raznorodnostima, različitostima, višeznačnostima koje nadilaze ili leže ispod, u temeljima, svih i partikularnih odrednica i svake od njih gledane izolovano (nacije, države, vere, jezika, pisma). Mediteranske studije trasiraju put ka regionalnim povestima, narativima konstruisanim na osnovu talasologije kao okvira posmatranja, oslanjajući se na više različitih metodoloških pristupa.

Primeri takvih već ostvarenih projekata, ili projekata koji se trenutno realizuju,[47] među kojima posebno mesto zauzimaju oni Instituta Maks Plank za istoriju umetnosti iz Firence, pod rukovođenjem Gerharda Volfa (Slika 13), ukazuju na činjenice da su granice i kategorije razmišljanja i istraživanja nasleđene iz prošlosti, iz pozitivistički ustrojene istorije umetnosti kao discipline nastale na prelazu XVIII u XIX vek, a koje podrazumevaju skrivenu hijerarhiju kultura zasnovanu na evropskom, herderovskom sistemu vrednosti kulturnog nacionalizma, daleko složenije sagledane u transkulturalnoj perspektivi.[48]

Termin imperija u tradicionalnom smislu, kako smo naučili da ga koristimo, različit je od homonimnog termina koji se često upotrebljava u mediteranskim studijama a kojim se ne označava jedan uniformni politički ili društveni sistem, već različita (monarhijska) ustrojstva sa univerzalističkim imaginacijama i ideologijama. Njihove premise mogu

[46] M. Espagne, "La notion de transfert culturel", *Revue Sciences/Lettres* 1, 2013, http://journals.openedition.org/rsl/219

[47] C. Farago, "Desiderata for the Study of Early Modern Art of the Mediterranean", 53.

[48] Images, Objects, Sites. Mediterranean Art Histories in a Global Perspective https://www.khi.fi.it/Abteilung_Wolf, uključujući i eko-istoriju umetnosti.

obuhvatati kosmičke ili religijske pretpostavke, ali i spajanja sa prirodom ili upravljanje njome, uz dalekosežne geopolitičke pretenzije. Od obe Amerike do Kine, Indije, Persije, Afrike i Mediterana, imperije ranog modernog doba uticale su jedna na drugu i nadmetale se na globalnom nivou i na globalnoj sceni. One su razvile posebne oblike teritorijalizacije kao i mobilnosti, i eksperimentisale sa prostornim poretkom, organizacijom prostora, često kroz kroskulturalni dijalog i diskurs. Multilingvalni dijalekti umetničkih formi i višeznačne i višeslojne reference ili evokacije kroz vreme i prostor artikulišu imperijalni urbanizam, spomenike i pejsaže, ali se stalno i iznova pojavljuju u različitim oblicima manjih artefakata, predmeta materijalne vizuelne kulture, kao što su npr. minijature, minijaturne slike urbanih centara poput Carigrada (Istanbula) ili udaljenih prirodnih okruženja poput vrtova književnika Kine iz doba dinastije Ming. Književna i umetnička produkcija elita može da potvrdi i transcendira imperijalne narudžbine ili izričite naredbe, proizvodeći tako kreacije ili invencije drugih svetova, bili oni religijski ili utopijski.[49]

U zapadnoj istoriografiji iskorak iz tradicionalnog evropocentričnog pogleda i koncepta države i carstva i primata i primenjivanja kartezijanske logike i herderovskih koncepata kulture na dublju prošlost u pravcu otvorenijih i širih sagledavanja, vezan je najpre za sagledavanje onog perioda koji se smatra temeljom zapadnoevropske civilizacije — renesanse.[50] Renesansa, kako ju je definisao romantizmom nadahnut Jakob Burkhart, ključni je period evropske istorije, kao tačka i vreme rađanja tipično evropskog (čitaj zapadnoevropskog) individualizma, sekularizma, racionalizma i etike, što je implicitno otvorilo put ka zapadnoevropskom prosperitetu i vojnoj moći, i uvelo istoriju u moderni period. U sferi vizuelnog je, spram toga, renesansa poistovećena sa formalnom zasnovanošću, na direktnom oponašanju ostvarenja klasične antike. Takva „stilska" svojstva, sama po sebi, zaloga su vrednosnog sistema čije prisustvo po sebi označava „civilizovanost", a njihovo odsustvo sramno divljaštvo i odsustvo kulture. Ovaj inherentno kolonijalistički i orijentalistički pristup još je višestruko jači kad se primenjuje na Balkan kao na neophodnog „drugog" Zapadne Evrope. Demontiranje takvih stavova u zapadnoj istoriografiji započelo je kasnih sedamdesetih godina prošlog

[49] https://www.khi.fi.it/5307836/wolf_Ecology

[50] *Local Histories/Global Designs*, xiv, o pitanju napuštanja apsolutnog znanja, hegelovske fenomenologije duha, kolonijalizacije vremena i prostora koja počinje sa konstruktom renesanse i antike, xiii.

Slika 14. Kerolajn Voker Bajnam

Slika 15. Piter Burk

veka sa obraćanjem Viljema Bovsme 1978. godine Američkom istorijskom društvu. Pre više od dve decenije Kerolajn Voker Bajnam (Slika 14) govorila je o poslednjoj evropocentričnoj generaciji istoričara. Tomas Dakosta Kaufman objavio je studiju o umetnosti i kulturi Centralne Evrope od renesanse do prosvetiteljstva i predstavio publici koja čita engleski te zapadnom čitalaštvu dela vizuelne umetnosti koja su dugo bila zanemarivana ili pogrešno tumačena. Za predmet ove studije, koja obuhvata i period ranog modernog doba, posebno je važno napomenuti da je nedavno objavljen zbornik radova *Byzantine Art and Renaissance Europe* u kojem se razmatraju uzajamni uticaji Zapadne Evrope i vizantijskog mediteranskog kulturnog kruga, od 1204. godine do XVI veka i, što je još važnije, razmatra vizuelna kultura vizantijske ikone u kolekcijama renesansne Italije kao integralni deo renesansnog nasleđa Evrope.[51]

Takođe, kad su u pitanju pristup i terminologija kojom bi se istoriografija udaljila od tradicionalnih gledanja i kategorizacije, ponovo su studije renesanse donele novine. Ugledni istraživač renesansne kulture i umetnosti Piter Burk (Slika 15), nedavno je uveo termin i koncept hibridnosti ili hibridizacije.[52] Po njegovom mišljenju, delom zahvaljujući prilagodljivosti ovog termina, koncept hibridizacije nudi

[51] O ovim pitanjima vid. J. Erdeljan, "The Balkans and the Renaissance World", u: *Byzantine and Post-Byzantine Art: Crossing Borders*, 193—208, sa literaturom.

[52] P. Burke, *Hybrid Renaissance. Culture, Language, Architecture*, Budapest — New York 2016. Vid. takođe H. Bhabha, *The Location of Culture*, 37.

istraživačima mogućnost drugačijeg pristupa jednom od centralnih problema istorijskih disciplina, pa tako i istorije umetnosti, pitanje odnosa kontinuiteta i promena, te vizuelnosti i identiteta. Burk ističe da, premda se renesansa tradicionalno posmatra kao zapadnoevropski fenomen, proces hibridizacije kako ga je on definisao, često je bolje vidljiv, jasniji, primetniji u Moskvi ili Lvovu, ili sasvim daleko od Evrope, u Južnoj Americi, na primer, Indiji, Kini i Japanu, u tom ranom periodu globalizacije. Što se periodizacije tiče, Burk renesansom koju proučava i razmatra naziva period koji je započeo u XIV veku, a nestao u prvoj polovini XVII veka.[53] Primenjeno u sagledavanju vizuelne kulture Balkana, ovakav pristup može da doprinese boljem razumevanju predmodernog perioda i uključenosti Balkana u mediteranske tokove kroz mreže konektivnosti i načine uobličavanja identiteta kroz stalnu komunikaciju sa mediteranskim svetom upravo u doba renesanse, te sticanju novih, pozitivnih, odgovora na pitanje ima li Balkan renesansu kao, između ostalog, i jednu od ključnih odrednica pripadnosti kulturi Mediterana u rano moderno doba.

U okvirima studija kulturnog transfera i mediteranskih studija, vizuelna kultura i vizuelnost uopšte zauzimaju posebno značajno mesto pošto postavljaju pitanja o neobuhvatnim, neizmerno otvorenim praksama signifikacije; o efektima postupka *translatio* — u smislu prenošenja predmeta i mesta a ne samo prevođenja reči. Njihovo pretvaranje u virtuelne (idealne, harizmatične) slike koje cirkulišu i funkcionišu, neretko prilagođene i izmenjene, daleko od i izvan *locus*-a svog nastanka, svedoči o senzornom prijemčivim i privlačnim materijalnim predmetima i slikama kao i o različitim vidovima prihvatanja ali i otpora prema „moći" koja potiče iz različitih izvora i generiše se delovanjem različitih činilaca mreže lokalno i hijerarhijski organizovanih, asimetričnih društvenih odnosa.[54]

Multilingvalnost vizuelne kulture Mediterana i Balkana pretpostavlja kroskulturalni tj. transkulturalni, krostemporalni, multimedijalni i multidisciplinarni pristup.[55] Ovi pristupi mogu otvoriti put ka sagledavanju funkcionisanja jednog znaka (kulta, svetitelja,

[53] P. Burke, *Hybrid Renaissance. Culture, Language, Architecture*, 8.

[54] C. Farago, "Desiderata for the Study of Early Modern Art of the Mediterranean", 63.

[55] Vid. npr. *Transkulturelle Verflechtungen. Mediävistische Perspektiven*, kollaborativ verfasst von G. Christ, S. Dönitz, D. G. König, Ş. Küçükhüseyin, M. Mersch, B. Müller-Schauenburg, U. Ritzerfeld, C. Vogel, J. Zimmermann, Universitätsverlag Göttingen 2016.

motiva, ikonografskog rešenja) u više kulturno-religioznih konteksta jednovremeno. Uloga predmeta, kultova, u srednjovekovnoj kroskulturalnoj razmeni je zapravo deo šireg koncepta i procesa *translatio*.[56] Nasuprot relativnoj transparentnosti lingvističkog procesa koji se podrazumeva ovim terminom, a mogao bi se identifikovati kao proces prevođenja, srednjovekovni termin *translatio* podrazumeva i mobilnost i prenošenje (u smislu transfera) koje nije vezano samo za jezik i tekst već i za svetinje, relikvije, ikone i predmete koji su bili u dodiru sa svetim mestima i relikvijama, moštima, kao i kulturološke postupke — u smislu *translatio studii et imperii* — i u tom značenju odgovara, zapravo, načelima teorije kulturnog transfera.[57]

Ovako postavljeni pravci i obrisi istraživanja, kao i teoretski temelji mediteranskih studija, sa perspektivom usmerenom ka zajedničkoj kulturi i posebnim identitetima, dobar su okvir za razumevanje vizuelne kulture mediteranskog poluostrva Balkana u srednjovekovno i rano moderno doba, a posebno onih njenih aspekata koji su proizišli iz neposrednih veza sa mediteranskim svetom, uže gledano, sa istočnim Mediteranom. Ovi i ovakvi okviri podstiču i pitanje neophodnosti promene epistemološke paradigme, koja od „area studies" i orijentalističkog, kolonijalističkog diskursa dosadašnjih studija Balkana, treba da učini korak dalje ka udaljavanju od negativnih premisa u kojima Balkan figurira kao večiti drugi, ponajviše u istoriografiji o srednjovekovnom i ranom modernom dobu koja nastaje na Balkanu.

[56] *Cross-Cultural Interaction Between Byzantium and the West, 1204—1669: Whose Mediterranean Is It Anyway?*, ur. A. Lymberopoulou, Routledge 2018. Vid. takođe C. Hilsdale, "Translatio and Objecthood. The Cultural Agendas of Two Greek Manuscripts at Saint Denis", 152—153.

[57] C. Hilsdale, "Translatio and Objecthood. The Cultural Agendas of Two Greek Manuscripts at Saint Denis".

Poglavlje III

Svetitelji dospeli s mora

Kult Svetog Spiridona Trimituntskog, jedna od tema koju ćemo razmatrati u ovoj studiji o kulturnom transferu i vizuelnoj kulturi Balkana i Mediterana u predmoderno doba, na Balkan je stigao sa istočnog Mediterana. Formirao se najpre na Kipru, rodnom mestu i prvom centru kulta ovog svetog oca crkve i čudotvorca, borca protiv arijanske jeresi i branitelja istinite vere, učesnika Prvog vaseljenskog sabora, prijatelja i sadruga Svetog Nikole Mirlikijskog. Isprva se sa ovog mediteranskog ostrva širio hrišćanskom ikumenom a potom, od VII veka i prvog prenosa moštiju ovog svetitelja, i iz prestonice Romejskog carstva. Nakon osmanskog osvajanja Carigrada 1453. godine i drugog, konačnog, prenosa svetiteljevih moštiju na Krf, kult Svetog Spiridona zrači i širi se sa Jonskih ostrva i iz Epira do najsevernijih granica Jadrana i Balkana, do Dunava i preko Dunava, u Transilvaniju, i dalje, sve do Bukovine i Moldavije.[1] Višeznačnost i stalno preoblikovanje, transformacija kulta, kao i snaga i impakt harizmatske slike lika (ikone) i tela (relikvije) Svetog Spiridona prevazilazi granice carstava — od Romejskog i Venecijanskog do Osmanskog, Ugarskog i Austrijskog — političkih i konfesionalnih zajednica. Njegova slika transformiše okvire i sama biva transformisana u okvirima hrišćanske vizuelne kulture i kulturne dinamike religije denominacija hrišćanskih zajednica na Balkanu i Mediteranu, prvoslavnih i katoličkih. Ona je znak istinite vere, ali i amblem i marker više različitih ličnih i korporativnih identiteta na Balkanu i

[1] *Žitije Svetog Spiridona* objavio je P. van den Ven, *La Légende de S. Spyridon Évêque de Trimithonte*, Louvain 1953. Za temeljnu studiju o kultu Svetog Spiridona i različitim aspektima hijerotopije i vizuelne kulture vezanim za njegov kult i svete mošti vid. Е. Бакалова, „А. Лазарова, Мощите на св. Спиридон и структуриране на сакралното пространство на остров Корфу. Между Коностантинопол и Венеция", u: Е. Бакалова, *Култьт към реликвите и чудотворните икони. Традиции и съвременност*, Издателство на БАН „Проф. Марин Дринов", София 2016, 105—126.Za pregled razvoja kulta i predstava Svetog Spiridona u srpskoj tradiciji vid. А. Петијевић, *Заборављени чудотворац. Култ светог Спиридона у српској традицијској култури*, Музеј Војводине, Нови Сад 2017. Za pregled ikona Svetog Spiridona u muzejskim zbirkama u Srbiji vid. takođe Isti, „Иконе светог Спиридона у музејским збиркама, трагови једног светитељског култа", u: *„Светлост од светлости": хришћански сакрални предмети у музејима и збиркама Србије*, Музејско друштво Србије, Народни музеј, Ниш—Београд 2014, 55—90.

Mediteranu. Ona je moćan, harizmatičan svedok i zalog interakcije i kulturnog transfera između hrišćanskog pravoslavnog i hrišćanskog katoličkog identiteta.

Utemeljeno na metodološkim i konceptualnim okvirima i postavkama iznetim u prethodnom poglavlju, te premisama i teoretskim okvirima fenomena prenosa svetosti (*translatio*)[2], teorije recepcije[3] i nove ikonologije,[4] u ovom poglavlju biće pokušano da se trasiraju putevi kojima su i sa kakvom recepcijom kiparski svetitelj i njegova sveta slika (*imago, eikon*) stizali na jug balkanske obale Jadrana, u Boku kotorsku, ali i na obale Dunava, Moriša, Tise. Pratiće se počeci kulta i ikonografije i njihovo rekonfigurisanje, prenošenje i promene kroz vekove, etape promene i lokalne recepcije kulta u okvirima pojmova multikonfesionalnosti, multilingvalnosti, heteroglosije i kulturnog transfera.

Kao svetitelj koji je došao sa mora telom i slikom, Sveti Spiridon sasvim izvesno nije bio prvi a ni jedini. Još od vremena pozne antike, te ranog i zrelog srednjeg veka taj put, preko mora do Balkana, koristili su kao jednu od najvažnijih i najstarijih ruta u svojim *translationes*, među brojnim drugim svetiteljima, i Sveti arhistratig nebeskih sila arhanđeo Mihailo, Sveti Nikola iz Mire u Likiji, Sveti Marko, Sveta Eufemija, Sveti Trifun i Sveti Luka (Slika 1).[5] Posebno mesto zauzima putovanje svetih

---

[2] O fenomenu prenošenja svetosti (*translatio*) vid. J.Erdeljan,*Chosen Places.Constructing New Jerusalems in Slavia Orthodoxa*, 52—62, sa opsežnom literaturom. Vid. takođe Ista, "New Jerusalems as New Constantinoples? Reflection on the Reasons and Principles of Translatio Constantinopoleos in Slavia Orthodoxa",*Deltion tes christianikes arhaiologikes etaireias* 32,2011, 11—18.

[3] J. Lane, "Reception theory and reader-response: Hans-Robert Jauss (1922—1997), Wolfgang Iser (1926—) and the school of Konstanz", u:*Modern European criticism and theory*, ur. J. Wolfreys, Edinburgh University Press, Edinburgh, 280—286.

[4] Ovde pre svega mislimo na novu ikonologiju kao metod koji prožima i proizlazi iz bogatog i izuzetno značajnog opusa prof. Barbare Baert sa Katoličkog univerziteta u Luvenu. Vid., na primer, B. Baert, *Pneuma and the Visual Medium in the Middle Ages and Early Modernity. Essays on Wind, Ruach, Incarnation, Odour, Stains, Movement, Kairos, Web and Silence*, Peeters, Leuven—Paris—Bristol 2016; Ista, "New Iconological Perspectives on Marble as Divinus Spiritus. Hermeneutical Change and Iconogenesis", *Louvain Studies* 40, 2017, 14—36. Vid. takođe V. Ionescu, "From nothing, from an 'idea': Barbara Baert's iconology of immersion and transitions", *Predella. Journal of visual arts* 39, 2016, 113—119.

[5] O episkopima koji ustanovljavaju crkvena sedišta, crkvenim dijecezama potčinjenim jurisdikciji Carigradske patrijaršije, svetiteljima, na primer SvetomIlarionu iz Gaze, i relikvijama koje dolaze sa istoka na Jadran, vid. D. Preradović, „Jadransko more, rute i luke u ranom srednjem veku prema hagiografskim izvorima", *Историјски записи* LXXXIX, 3—4 /2016, 2018, 7—34, sa literaturom i izvorima. Vid. takođe И. Стевовић, „Рана средњовизантијска црква и реликвије светог Трифуна у Котору", *Зограф* 41, 2017, 37—50, sa literaturom i izvorima.

Slika 1. Kotor. Unutrašnjost katedrale Svetog Tripuna

Slika 2. Trsat, Rijeka. Pogled na franjevački manastir koji stoji na mestu na kojem se 1291. godine pojavila Bogorodičina kuća iz Nazareta koju su anđeli 1294. godine preneli u Loreto

Slika 3. Gospa Tsatska, čudotvorna ikona iz XIV veka

Slika 4. Monte Gargano, pećinska Crkva Svetog arhanđela Mihaila

čudotvornih ikona Majke Božije. Marijin put preko mora duž balkanske obale Jadrana krunisan je čudesnim preseljenjem njene kuće u Loreto, sa stanicom na Trsatu kod Rijeke (Slike 2 i 3).[6]

Konferencija „Svetitelji koji su došli sa mora" („I santi venuti dal mare") održana u Bariju 2005. godine,[7] potvrdila je značaj istočne obale Apeninskog poluostrva tj. zapadne obale Jadrana, a naročito Apulije, kao čvorišta mreža transkulturalne konektivnosti Istoka sa Zapadom od antičkih vremena do početka modernog doba. Tome su najviše doprineli trgovinski i poklonički pomorski putevi i putevi krstaških ili vojnih pohoda uopšte, koji su polazište ili pristanište imali na istočnoj obali Apeninskog poluostrva, tj. na zapadnoj obali Jadrana, u Apuliji. Među njima posebno su važni Bari, Brindizi, Otranto, Trani, Siponto, Monopoli.[8]

---

[6] M. S. Calò Mariani, "Saints, relics and 'Madonne venute dal mare', The Apulia in the cultural Mediterranean routes", u: *Cultural Heritage for the Sustainable Development of the Mediterranean Countrie,* ur. A. Trono, F. Rippi, S. Romano, Congedo Editore, Galatina 2015, 3—31, sa starijom literaturom. Vid. takođe M. Bacci, "Portolano sacro. Santuari e immagini sacre lungo le rotte di navigazioe del Mediterraneo tra tardo Medioevo e prima età moderna".

[7] *I santi venuti dal mare, Proceedings of the Fifth International Conference (Bari—Brindisi,14—18 December 2005),* ur. M. S. Calò Mariani, Adda, Bari 2009.

[8] E. Elba, "The saints across the sea, The overseas saints: Cult and images of St. Michael and St. Nicholas between Apulia and Dalmatia in the Middle Ages (A preliminary study)", u: *I santi venuti dal mare,* 91—107.Vid. takođe D. Jacoby,"Evolving Routes of Western Pilgrimage to the

Slika 5. Crkva Svetog Nikole u Bariju

Kao ključna sveta mesta u Apuliji, vezana za dva kulta koja su se razvila u maloazijskim oblastima Romejskog carstva i odatle u ranom i zrelom srednjem veku bila preneta na istočnu obalu Apeninskog poluostrva, tj. zapadnu obalu Jadrana, svetilišta, sakralni prostori Svetog Mihaila na Monte Garganu (Slika 4) i Svetog Nikole u Bariju (Slika 5) postali su katalizatori kontinuiranog priliva i saobraćanja ljudi, dobara i ideja. Bili su tačka od koje su se dalje širili preko mora na istočnu, balkansku obalu tog mora, do druge polovine XI veka, obe u okvirima Romejskog carstva. Širenje kulta Svetog Mihaila i Svetog Nikole izvan Apulije određuje koordinate šireg sakralnog prostora ili „regiona"[9] koji se formira na tačkama prijema, recepcije i aproprijacije tih kultova i pripadajućih markera vizuelnog identiteta i retorike svetosti, jedne vrste nove Platonove bare oko koje su okupljene hrišćanske zajednice koje se tokom vekova profilišu kao katoličke koliko i pravoslavne (žabe).[10]

Holy Land, Eleventh to Fifteenth Century: An Overview"; P.Oldfield, *Sanctity and Pilgrimage in Medieval Southern Italy, 1000—1200*, Cambridge 2014, 181—208.

[9] Vid. dole definiciju Nilsa Holgera Petersena, napomena 18.

[10] I. Božić, "Le culte de saint Michel sur les deux côtes de l'Adriatique", u: *Le relazioni religiose e chiesastico-giurisdizionali. Atti del Congresso di Bari (Centro Studi sulla storia e la civiltà adriatica, Bari, 29—31 ottobre 1976)*, ur. P.F. Palumbo, Roma 1979, 19—30; E. Elba,"The saints across the sea, The overseas saints: Cult and images of St. Michael and St. Nicholas between Apulia and Dalmatia in the Middle Ages (A preliminary study)", 91—92.

Svetilište arhanđela Mihaila na Monte Garganu razvilo se kao rezultat prenosa kulta svetog velikog arhistratiga nebeskih sila sa istočnog Mediterana. Rt Gargano (Monte Gargano) koji je isturen u jadransku pučinu u pravcu istoka i Balkana bio je, što je dokumentovano arheološkim istraživanjima, naseljen Helenima još u bronzano doba. Apulija je bila „natopljena" nasleđem i kultovima koje su Heleni u svojim migracijama i kolonizaciji doneli. Pomorske veze uspostavljene sa Istokom u toj dubokoj prošlosti, a koje su u rimsko vreme vodile i ka Carigradu, nastavile su da traju i nakon pada Zapadnog rimskog carstva 476. godine, te uspostavljanja ostrogotske vlasti pod Teodorihom (493—526). Tim putem je stigao i kult Svetog Mihaila, a na Rtu Gargano nadovezao se na starije kultno mesto, hrišćansko a pre toga i pagansko, vezano za pećinu koja je njegovo sakralno jezgro.[11] Na istočnoj obali Jadrana prvi tragovi kulta Svetog arhanđela Mihaila javljaju se u isto vreme kad stižu i na zapadnu obalu ovog dela Mediterana, u V i VI veku. U periodu od IX do XI veka kult svetog arhistratiga nebeskih sila bio je naročito negovan u benediktinskim monaškim zajednicama. Njemu je bio posvećen najstariji poznati benediktinski manastir na istočnoj obali Jadrana južno od Dubrovnika, manastir Sv. Mihaila na Prevlaci u Boki kotorskoj, sa crkvom koja se datuje u početak IX veka. Iz istog razdoblja datira i njemu posvećena benediktinska crkva *intra muros* u obližnjem Kotoru, kao i ona u benediktinskom manastiru Ratac, koji se nalazi južno od Boke kotorske niz istočnojadransku obalu. Iz X i XI veka datiraju crkve svetog Mihaila na ostrvima Šipanu i Koločepu kao i zadužbina srpskih vladara Dukljе iz roda Vojislavljevića, Crkva Sv. Mihaila u Stonu na Pelješcu koji je u drugoj polovini XI veka podigao Vojislav ili njegov sin, od 1077. godine kralj Mihailo.[12]

Upravo u to vreme, 9. maja 1087. godine, iz Mire u Likiji stižu u Bari mošti Svetog Nikole, episkopa i čudotvorca, borca protiv jeresi i zaštitnika pomoraca. Kao i kult Svetog Mihaila, i kult Svetog Nikole se širi na istočnoj, balkanskoj obali Jadrana isprva zaslugom reformisanog benediktanskog monaštva, ali i Normana, koji svoju vojnu prevlast obeležavaju uzdizanjem stega Svetog Nikole, kao što je to bilo nakon njihove pobede na Rabu koju je izvojevao Amiko di Đovinaco u ime pape

[11] J. C. Arnold, *The footprints of Michael the Archangel: the formation and diffusion of a saintly cult*, c. 300—c. 800, Palgrave Macmillan 2013, 68—69.

[12] D. Preradović, "Le culte et l'iconographie de l'archange Michel sur le littoral sud-oriental de l'Adriatique", *Les cahiers de Saint-Michel de Cuxa* XLVIII, 2017, 129—144.

Grgura VII.[13] Kult Svetog Nikole na Balkanu se razvija i iz pravca Carigrada. Nemanjići su tokom vekova svoje vladavine i u sferi oficijelne i u sferi privatne pobožnosti bili duboko vezani za kult ovog svetitelja, počevši od rodonačelnika Stefana Nemanje, koji mu je, kao svoju prvu zadužbinu, podigao crkvu u Toplici i nazivao ga svojim svetiteljem. Članovi srpske svetorodne dinastije u periodu dužem od veka i po bazilici Svetog Nikole u Bariju prilažu darove i šalju ikone i srebrne oltare. Prvi koji uspostavlja tu tradiciju je Stefan Nemanja, a njegov primer slede kraljica Jelena Anžujska sa sinovima Dragutinom i Milutinom, kralj Milutin, njegov sin Stefan Dečanski, car Dušan i njegov sin Uroš, koji potvrđuje očeve priloge, i kesar Grgur Golubić. Srpska ikona iz prve polovine XIV veka, dar Stefana Dečanskog, i danas stoji iznad oltara nad novim, drugim grobom Svetog Nikole u Bariju. Ka njemu je okrenuta monumentalna figura ovog svetitelja naslikana na fasadi franjevačkog manastira i crkve, zadužbine kraljice Jelene Anžujske u Starom Baru.[14]

Jedan od poslednjih svetitelja pristiglih morem pre pada Carigrada 1453. godine, čije su mošti na Balkan došle mediteranskim vezama, bio je Sveti Luka, apostol i jevanđelista, lekar i ikonopisac. Sveti Luka se upokojio u Ahaji oko 63. godine. Njegove mošti su se prvo čuvale u gradu Tebi u Beotiji, u današnjoj centralnoj Grčkoj, a u IV veku, 357. godine, Sveti Artemije preneo ih je u Carigrad, gde su u vreme cara Konstancija II bile položene u Crkvu Svetih apostola. Ne zna se kad su tačno iz prestonice Carstva njegove mošti prenete preko ostrva Lefkade u Jonskom moru do grada Rogosa koji leži zapadno od Arte u Epiru. Pošto je beneventanska porodica Toko[15] preuzela vlast nad Rogosom u oktobru 1416. godine, veoma je verovatno da su mošti Svetog apostola i jevanđeliste Luke bile prenete u ovaj grad između 1416. i 1436. godine kad im se, što je dokumentovano, tamo poklonio italijanski humanista Kirijak iz Ankone. Rogos su osvojile Osmanlije 1449. godine. Despot Đurađ Branković ih je otkupio za 30.000 venecijanskih dukata i u svečanom adventusu one su

[13] E. Elba,"The saints across the sea, The overseas saints: Cult and images of St. Michael and St. Nicholas between Apulia and Dalmatia in the Middle Ages (A preliminary study)", 94.

[14] Б. Миљковић, „Немањићи и Свети Никола у Барију", *Зборник радова Византолошког института* 44, 2007, 275—294.O Crkvi Sv. Nikole u Baru vid. Б. Цветковић, Г. Гаврић, „Краљица Јелена и фрањевци", u: *Јелена. Краљица, монахиња, светитељка*, ур. К. Митровић, Манастир Градац, Брвеник 2015, 119—135, posebno 121—125, sa starijom literaturom.

[15] N. Zečević, *The Tocco of the Greek Realm. Nobility, Power and Migration in Latin Greece (14th—15th Centuries)*, Central European University Press, Budapest 2016.

Slika 6. Smederevo, Crkva Uspenja Bogorodice

prenete i unete 12. januara 1453. u Smederevo, prestonicu Đurđa Brankovića i poslednji prestoni grad srpske Despotovine. Tu su položene u mitropoliju, u Crkvu Uspenja Bogorodice (Slika 6). Svileni pokrov za mošti ukrašen zlatovezom načinila je prvorođena despotova ćerka Mara Branković.[16]

[16] O kultu Svetog Luke i istoriji njegovih moštiju, sa izvorima i širom literaturom, vid. В. Милановић, „Култ и иконографија светог Луке у православљу до средине XV века", u: *Црква свеѿоī Луке кроз вјекове. Зборник радова*, ур. В. Кораћ, Српска православна црквена општина Котор, Котор 1997, 73—105; Т. Суботин-Голубовић, „Свети Лука — Последњи заштитник српске Деспотовине", u: *Чудо у словенским кулѿурама*, ур. Д. Ајдачић, Нови Сад 2000, 167—178; Д. Поповић, „Мошти светог Луке— српска епизода", u: *Под окриљем свеѿосѿи. Кулѿ владара и реликвија у средњовековној Србији*, Балканолошки институт САНУ, Београд 2006, 295—317; М. Ст. Поповић, *Мара Бранковић. Жена између хришћанскоī и исламскоī кулѿурноī круīа у 15. веку*, с немачког превела Б. Рајлић, Академска књига, Нови Сад 2014, 75—76. Sveobuhvatna studija istorije srpske Despotovine u vreme despota Đurđa Brankovića: М. Спремић, *Десӣоѿ Ђурађ Бранковић и њеīово доба*, Српска књижевна задруга, Београд 1994. O Crkvi Uspenja Bogorodice u Smederevu vid. М. Цуњак, Б. Цветковић, *Црква Усӣења Пресвеѿе Боīородице у Смедереву*, Српска православна црквена општина Смедерево, Републички завод за заштиту споменика културе Београд, Смедерево—Београд 1997.

Nakon smrti despota Đurđa 1456. godine, Despotovinom je do 1458. godine vladao njegov najmlađi sin Lazar. Njegov zet, poslednji despot koji je bio i prestolonaslednik Bosanskog kraljevstva Stefan Tomašević, oženjen Lazarevom ćerkom Marom Branković Paleologinom, preuzeo je upravljanje smederevskom tvrđavom do njenog pada pod vlast sultana Mehmeda II, 1459. godine. Stefan Tomašević i Mara Branković preneli su mošti Svetog Luke u Bosnu, u utvrđeni grad Teočak blizu Zvornika. Iz Teočaka, mošti su prenete u Crkvu Svete Katarine u Jajcu pa potom 1463. godine u Dalmaciju, odakle su prenete u Crkvu Svetog Jova u Veneciji.[17]

I santi venuti dal mare, kultovi koji stižu morem, ili preko mora, na Balkan, prenosom relikvija i širenjem ikona i drugih vidova njihovih svetih slika, obeležavaju ovaj region i imaju izuzetno značajan udeo u njegovoj sakralizaciji. Takođe, njihovim prisustvom, sakralna geografija ili hijerotopija, biva povezana sa najvažnijim svetim mestima ukupne hrišćanske vaseljene koja se nalaze na istočnom Mediteranu. Među njima, jednu od posebno harizmatičnih pojava predstavlja telo tj. slika Svetog Spiridona, koje funkcioniše kao marker individualnog i kolektivnog identiteta na Balkanu i Mediteranu kao regionu. Njega u ovom pogledu ne treba shvatati samo geografski, kao jedan povezan, jedinstven geografski prostor, već i kao prostor u širem smislu, prostor komunikacije između pojedinaca i zajednica određen zajedničkom kulturnom memorijom i kulturom sećanja koja leži u temelju konstruisanja identiteta. U mnogim slučajevima, određeni narativi i artefakti, predmeti vizuelne kulture, kao i određeni praznici i običaji obeležavanja i održavanja memorije, postaju kanonični za određenu zajednicu ili, na taj način shvaćeno, za region.[18]

Jedan od važnih elemenata na kojima se zasniva ta vrsta kolektivnog identiteta koji konstituiše takav region, koji prevazilazi politikom i istorijom definisane granice, jeste zbir zajedničkih uspomena koje proizvode identitet, kao i lingvističke, ekonomske, političke, duhovne, religiozne ili emocionalne uslovljenosti i okolnosti, pristupi životu koje dele sve ma koliko međusobno različite zajednice takvog ambijenta. U srednjovekovnom i ranom modernom dobu ovo se može prepoznati i u kolektivnim regionalnim identitetima monaških redova, na primeru

---

[17] Д. Поповић, „Мошти светог Луке— српска епизода", 314—317.

[18] N. H. Petersen, "Introduction", u: *Symbolic Identity and the Cultural Memory of Saints*, ur. N. H. Petersen, A. Mänd, S. Salvadó, T. R. Sands, Cambridge Scholars Publishing 2018, 1—20, posebno 3.

franjevaca i dominikanaca. Oni su nastajali na tlu Zapadne Evrope i širili se ka istočnom Mediteranu, i dalje na Istok, zadržavajući sopstveni sasvim poseban kolektivni identitet. U tom smislu možemo da govorimo o franjevačkom ili dominikanskom „svetu". U najširem smislu, pre i posle nastanka ovih posebnih monaških redova, i nezavisno od njih, dinamici „regiona" i regionalne kohezije znatno su doprinosili kultovi svetitelja.

U zaključku kojim se završava zbornik objavljen 2014. godine u Zagrebu, nastao kao rezultat međunarodnog projekta posvećenog kultovima svetitelja kao izrazu lokalnih, regionalnih, nacionalnih i univerzalnih identiteta (*Symbols that Bind and Break Communities: Saints' Cults as Stimuli and Expressions of Local, Regional, National and Universalist Identities*, 2010—2013), a koji sadrži dvadeset pet studija o pojedinačnim svetiteljima koji su bili svojevrsni „regionalni patroni" u srednjem veku i u ranom modernom dobu, Gabor Klanicaj iznosi svoje viđenje ključne kategorije ovog istraživačkog projekta i samog zbornika *Cuius Patrocinio Tota Gaudet Regio. Saints' Cults and the Dynamics of Regional Cohesion* — pitanja kako se razvijalo svetiteljsko pokroviteljstvo od pozne antike do zrelog i poznog srednjeg veka, naročito uzimajući u obzir pitanje regiona („regiona" kako ih definiše Nils Holger Petersen), na kraju i u kontekstu najnovijih istraživanja ovih pitanja.[19] Polazeći od rezultata osnovne, temeljne, ključno važne studije Pitera Brauna,[20] Klanicaj ukazuje na pokroviteljstvo svetitelja kao figure koja je na sebe preuzela sve odlike poznorimskog *patronus*-a koga je mogao da zastupa i predstavlja episkop. Njegovo bogatstvo bilo je dostupno svima, njegova *potentia* bila je sprovođena bez nasilja a odanost mu se mogla iskazivati bez zadrške. Svetitelj je bio nevidljivi, nebeski sudeonik patronatstva koje se u pojavnom vidu izražavalo kroz delatnost episkopa. Episkop je uspešno suzbijao sve pokušaje „privatizacije svetosti", tj. prisvajanja i upotrebe relikvija svetih bilo kog pojedinca, time što ih je polagao u oltare crkava, omogućujući tako da čitava zajednica vernih njima pristupi čineći ih pokroviteljima, patronima čitave zajednice. Razvojem kulta svetitelja episkopi bi u krajnjem slučaju crtali nove ili rušili stare od pamtiveka postavljene međe i granice urbanog perimetra i zajednice koja u

[19] *Cuius Patrocinio Tota Gaudet Regio. Saints' Cults and the Dynamics of Regional Cohesion*, ur. S. Kuzmová, A. Marinković, T. Vedriš, Hagiotheca, Zagreb 2014, posebno G. Klaniczay, "Conclusion, Sainthood, Patronage and Region", 441—453.

[20] P. Brown, *The Cult of the Saints. Its Rise and Function in Latin Christianity*, Chicago 1981.

njima živi, uključujući u okvire i stavljajući pod patronat svetitelja čije su mošti čuvali širi hrišćanski populus, onaj izvan agera rimskog grada kao i novopokrštene pagane. *Praesentia* svetitelja zajemčena njihovim relikvijama, i njihova *potentia* koja se iskazivala kako čudima tako i ceremonijama, procesijama i ostalim kultnim radnjama, učinile su ih ključnim činiocima života u određenoj zajednici kao njenim patronima i simbolima komunalnog (zajedničkog) identiteta od pozne antike i tokom čitavog predmodernog perioda. Tako su manastir i posedi Montekasina nazivani zemljom Svetog Benedikta. Novi hrišćanski rimski patroni postali su i sveti Antonije, Pahomije, Simeon Stolpnik, papa Silvestar, Amvrosije, Avgustin, Jovan Zlatousti, Martin iz Tura. Sveti episkopi, posebno kao zastupnici i čuvari prvih svetih hrišćanskih patrona, apostola i mučenika, postali su tipični novi zaštitnici gradova.[21]

Zaštitna natpirorodna moć svetih patrona postala je posebno značajna za opstanak zajednica u ranom srednjem veku, u doba migracija naroda i germanskih, hunskih i vikinških osvajanja koja su dovela do raspada rimskog državnog aparata i suvereniteta, te tako i do izolovanog života starih urbanih zajednica. Njihove kultove naročito su detaljno zabeležili i dokumentovali u VI veku Grigorije iz Tura (kult Svetog Julijana iz Briuda i Martina iz Tura), Venancijus Fortunatus (Žermen od Oksera, Radegunda i Hilarije iz Poatjea) i papa Grgur Veliki (posebno kad je u pitanju Sveti Benedikt iz Nursije). Patronatstvo ovih i drugih svetitelja obezbeđivalo je zaštitu u vreme rata, spasenje od prirodnih nepogoda i podršku u političkim borbama. Njihova svetilišta postala su izvor i uporište lokalnog ponosa, simboli regionalnog identiteta, a često bi usponom i popularnošću njihovih kultova, postajala i središta hodočašća.[22]

Takav lokalni ili „regionalni" identitet, zasnovan na kultu svetitelja i prisustvu i delanju njegovih svetih moštiju, u velikoj meri određen je tenzijama između regionalnih tradicija i transregionalnih impulsa koji su mogli biti zasnovani na religijskim idejama i oblikovani socioekonomskim i političkim agendama.[23] Perspektiva i okviri teorije

---

[21] G. Klaniczay, "Conclusion, Sainthood, Patronage and Region", u: *Cuius Patrocinio Tota Gaudet Regio. Saints' Cults and the Dynamics of Regional Cohesion*, 441—453.

[22] Isto, na više mesta.

[23] N. H. Petersen, "Introduction". O svetiteljima i lokalnom identitetu v. B. Abou-El-Haj", u: *The Medieval Cult of Saints: Formations and Transformations*,Cambridge 1994; *Local Saints and Local Churches in the early Medieval West*, ur. A. Thacker, R. Sharpe, Oxford 2002, posebno C. Cubitt, "Universal and Local Saints in Anglo-Saxon England", 423. O srpskim svetiteljima iz roda Nemanjića vid. Д. Поповић, *Под окриљем светости*.

recepcije[24] su od velikog značaja za razumevanje ovog postupka budući da se sve promene, revizije ili ostali vidovi preoblikovanja lokalnih ili regionalnih identiteta odvijaju u vezi sa lokalnim aproprijacijama prenetog vizuelnog predloška, artefakta, ideja i struktura, ili njima uslovljenim. U skorije vreme, pitanju „kolektivnog identiteta", kakav je zapravo onaj „regionalni", prilazi se sa stanovišta kulturne memorije ili kulture sećanja, čemu je umnogome doprineo rad Jana i Aleide Asman.[25] Konstruisanje onog što bi se moglo nazvati „mi", zajedničkog, kolektivnog identiteta, zasniva se na pripadanju grupi i na preuzimanju odlika te grupe kao sopstvenih. Taj „mi" narativni identitet, prema onome kako ga je definisao Pol Riker,[26] može pojasniti i načine na koje pojedinac tokom života uz sve prihvatanje zajedničkog uvek zadržava i sopstveni, lični identitet koji u povratnoj sprezi uvek biva relevantan upravo za kolektivni „mi" tj. „regionalni" identitet.

Svetitelji su bili i ostali važni u uspostavljanju identiteta zajednica. Ono što je važno za recepciju svetitelja u određenoj grupi ljudi, u određenom kolektivnom „mi", između ostalog jeste i mera podudarnosti. U takvoj recepciji, ključnu ulogu ima konfigurisanje narativa identiteta svetitelja, kako ga je opisao Riker, počevši od istorijskih činjenica preko njihove interpretacije i reinterpretacije, sa postupkom i fazama rekonfigurisanja identiteta zajednice sa kojom se on poistovećuje, kojoj je on *patronus*.[27] Redovi koji slede nastojaće da pruže uvid u pitanja kako je i zašto rekonfigurisan svetiteljski identitet Svetog Spiridona u dodiru i stalnom kontaktu Balkana i Mediterana, u okvirima njegove recepcije u pravoslavnom i katoličkom svetu, u okvirima kulturne dinamike religije pravoslavnih i katoličkih zajednica, u stalnoj tenziji između „ja" i „mi", ličnog i kolektivnog identiteta, univerzalnog i lokalnog, tj. „regionalnog".

[24] J. Lane, "Reception theory and reader-response: Hans-Robert Jauss (1922—1997), Wolfgang Iser (1926—) and the school of Konstanz".

[25] Vid. na primer J. Assman, "Communicative and Cultural Memory", u: *Cultural Memory Studies. An International and Interdisciplinary Handbook*, ur. A. Erll, A. Nünning, Berlin — New York 2008, 109—118; A. Assman, "Transformations between History and Memory", *Social Research: An International Quarterly* Vol. 75, No. 1, Spring 2008, 49—72.

[26] P. Ricoeur, *Time and Narrative*, vol. I—III, prev. K. Mclaughlin D. Pellauer, The University of Chicago Press 1984. Vid. takođe D. Carr, *Time, Narrative, and History*, Indiana University Press, Bloomington 1991;N. Holger Petersen, "Introduction".

[27] N. H. Petersen, "Introduction", 8—9.

Poglavlje IV

Sveti Spiridon

1. U Podunavlju, na Jadranu i u Bukovini

Na severnom zidu naosa Crkve Svetog Nikole u Zemunu i danas se nalazi monumentalna predstava stojeće figure Svetog Spiridona. Delo je slikara Živka Petrovića i jedna od zidnih slika u naosu i priprati koje je on naslikao u ovoj najstarijoj srpskoj pravoslavnoj bogomolji u Zemunu (Slika 1).[1] Narečeni zemunski „marveni lekar i živopisac", školovan na bečkoj Akademiji, izradio ih je prema ugovoru sklopljenom 18. jula 1845. godine sa crkvenom opštinom Crkve Svetog Nikole u Zemunu za čišćenje, obnovu i pozlatu ikonostasa i oslikavanje crkvenih zidova.[2] U predmoderno i rano moderno doba, među srpskim pravoslavnim stanovništvom Austrougarske imperije, a ranije na području Ugarske, kult Svetog Spiridona, kiparskog pastira i episkopa, borca za istinitu veru i čudotvorca, bio je naročito vezan za kolektivni identitet zanatskih udruženja i cehova. Od XVIII veka pominju se esnafski barjaci sa predstavama ovoga sveca pod čijim su pokroviteljstvom, noseći barjake sa njegovom ikonom, članovi ovih zanatskih udruženja učestvovali u litijama i tako, jednovremeno, pokazivali svoj korporativni identitet. Jedan takav barjak je

Slika 1. Crkva Svetog Nikole u Zemunu

[1] Crkva Svetog Nikole podignuta je 1745. godine na mestu drvene bogomolje iz XVI veka. Vid. *Сликар Живко Петровић (1806—1868)*, каталог изложбе, Спомен-збирка Павла Бељанског, Нови Сад 2001.

[2] *Сликар Живко Петровић (1806—1868)*, o njegovom slikarstvu u Nikolajevskoj crkvi u Zemuni vid. posebno str. 66, sa izvorima i literaturom.

Konstantin Lekić 1758. godine izradio za čizmarsko-tabački ceh iz Zemuna i on se čuvao mesnoj Crkvi Svetog Nikole. Sličan barjak se spominje i u inventaru Crkve Svetog Georgija u Temišvaru iz 1791. godine.[3]

Slika 2. Nadgrobni spomenik Gerasima Zelića u manastiru Krupi

U isto vreme kult Svetog Spiridona bio je visokorazvijen u srpskim zajednicama duž Jadrana i u njegovom zaleđu, podjednako kao i u unutrašnjosti Balkana. Prema nekim svedočanstvima iz poznijih razdoblja, na primer prema ruskom arhiepiskopu Sergiju Spaskom iz XIX veka, postoji i predanje da su se nakon pada Carigrada, na putu ka Krfu, mošti Svetog Spiridona u jednom trenutku nalazile u Srbiji.[4] Izvesno je da su već tokom XVII veka čestice njegovih moštiju bile u posedu monaha manastira Studenice koji su ih 1629. godine, uz ikone i miro sa groba Svetog Simeona Nemanje, nosili na dar ruskom caru Mihailu Teodoroviču.[5] Zahvaljujući srpskim poklonicima, crkvenim prelatima, monasima, pomorcima i trgovcima — među kojima su bili i jeromonah Partenije Pokrajac iz manastira Krke i učeni Gerasim Zelić, arhimandrit manastira Krupe, savremenik Dositeja Obradovića i autor *Žitija*,

---

[3] А. Петијевић, „Иконе светог Спиридона у музејским збиркама, трагови једног светитељског култа", 64, sa drugim primerima, od Bodroga preko Bele Crkve do Vranja i Kruševca, i razmatranjem veza obućarskih, papudžijskih i tabačkih esnafa sa kultom Svetog Spiridona. Vid. takođe Isti, *Заборављени чудотворац. Култ светог Спиридона у српској традицијској култури*, 203—227.

[4] М. Ал. Пурковић, *Историја Српске православне црквене општине у Трсту*, Трст 1960, 9; А. Петијевић, „Иконе светог Спиридона у музејским збиркама, трагови једног светитељског култа", 56, sa literaturom i izvorima.

[5] С. Димитријевић, „Грађа за српску историју из руских архива и библиотека", *Споменик Српске краљевске академије* 53, 1922, 138—139.

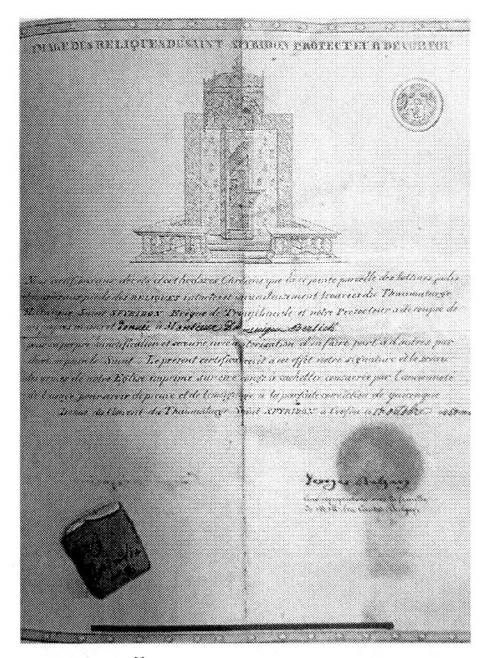

Slika 3. Čestica moštiju, komadić obuće sa moštiju Svetog Spiridona sa potvrdom autentičnosti, srpska Crkva Svetog Ilije u Zadru

putopisa po Zapadnoj Evropi, Rusiji i Maloj Aziji (Slika 2) — tokom naredna dva stoleća u srpske manastire na jadranskoj obali i u njenom zaleđu dospevale su sa Krfa čestice visokocenjene relikvije Svetog Spiridona, delići njegove obuće.[6] Praćene pisanim ili štampanim potvrdama o verodostojnosti, ispisanim na grčkom, italijanskom ili francuskom jeziku, nalaze se i danas u relikvijaru manastira Dragovića u Dalmaciji i u riznici srpske pravoslavne Crkve Svetog Ilije u Zadru (Slika 3).[7]

Na Primorju i u zaleđu, Svetom Spiridonu su bile posvećene srpske crkve i kapele u Boki kotorskoj, Skradinu (Slika 4), Krki, Zadru, Peroju, a pre svega u Trstu.[8] Osnivanje i počeci izgradnje prve pravoslavne crkve njemu posvećene u Trstu, najvažnijoj luci i trgovačkom centru na severu Jadrana,

Slika 4. Crkva Svetog Spiridona u Skradinu

[6] А. Петијевић, „Иконе светог Спиридона у музејским збиркама, трагови једног светитељског култа", 57.

[7] Isto.

[8] Za pregled srpskih crkava posvećenih Svetom Spiridonu vid. А. Петијевић, *Заборављени чудотворац. Култ светог Спиридона у српској традицијској култури*, 145—169, sa izvorima i širom literaturom.

Slika 5. Crkva Svetog Spiridona u Trstu

Slika 6. Ikonostas Crkve Svetog Spiridona u Trstu

vezani su za ličnost grčkog jeromonaha iz svetogorskog manastira Vatopeda Damaskina Omirosa, poreklom iz Smirne, koji je u Trst stigao iz Venecije 1748. godine. Izgradnja prvog hrama posvećenog kiparskom svetitelju i čudotvorcu, čije su se mošti tad uveliko već nalazile na Krfu, počinje neposredno nakon što je jeromonah Damaskin 1749. godine od carice Marije Terezije dobio dozvolu a 1751. i povelju, kojom se u Trstu dopušta osnivanje grčke crkve. Crkva podignuta u neoklasicističkom stilu dovršena je već 1753. godine. Služila je grčkoj ali i srpskoj zajednici koja u Trstu beleži stalno naseljene članove još od 1736. godine. Godine 1782. uz nju su dozidana dva zvonika za šta je sredstva obezbedio Jovan Miletić, srpski trgovac iz Trsta poreklom iz Sarajeva. Od vremena osnivanja, Crkva Svetog Spiridona, odlukom carice Marije Terezije iz 1751. godine, bila je pod jurisdikcijom srpskog gornjokarlovačkog episkopa. U njoj su isprva služili grčki sveštenici, a od 1759. godine njima se priključuju i srpski. Početkom devete decenije XVIII veka Grci se izdvajaju iz zajedničke crkvene opštine a Srbi zadržavaju hram za koji su Grcima isplatili 20.000 forinti. Grčka zajednica podiže Crkvu Svetog Nikole koja je osveštana 1787. godine. Novi srpski hram, koji stoji i danas na mestu prve crkve, rađen prema projektu milanskog arhitekte Karla Mačjakinija, počinje da se zida 1861. godine. Na mestu starog neoklasicističkog zdanja i danas se nalazi petokupolna crkva krstoobrazne osnove u neovizantijskom stilu, i unutra i spolja ukrašena freskama, mozaicima i frizom skulptura čiji su autori slikar Đuzepe Bertini i skulptor Emilio Bizi, obojica iz Milana (Slike 5 i 6).[9]

Sasvim daleko od Trsta i Mediterana, a kao rezultat neposredne veze sa jonskim ostrvom koje je postalo konačno boravište kiparskog svetitelja, u srcu istorijske kneževine Moldavije tj. Bukovine na severoistočnoj granici današnje Rumunije, u XVIII veku, u vreme podizanja prve Crkve Svetog Spiridona u Trstu, nastao je manastir Svetog Spiridona kod grada Jašija (Slika 7). Bolnica Svetog Spiridona, uz koju stoji manastir, osnovana je 1757. godine, u vreme vladavine kneza Konstantina Mihaila Čehana Rakovina. Crkva Svetog Spiridona u okviru bolnice

---

[9] O Crkvi Svetog Spiridona i Srpskoj pravoslavnoj crkvenoj opštini u Trstu vid. M. Ал. Пурковић, *Историја Српске православне црквене општине у Трсту*; Ђ. Милошевић, Д. Медаковић, *Летопис Срба у Трсту*, Београд 1987; *Светлост и сенке: култура Срба у Трсту*, приредила М. Митровић, Београд 2007; L. Resciniti, M. Messina, M. Bianco Fiorin, *Genti di San Spiridone: I Serbi a Trieste 1751—1914*, Trieste 2009; А. Петијевић, *Заборављени чудотворац. Култ светог Спиридона у српској традицијској култури*, 151—153.

Slika 7. Crkva Svetog Spiridona u Jašiju

Svetog Spiridona podignuta je između 1747. i 1752. godine, a jedan od ktitora bio je i Anastasije Lipskanul, trgovac sa Krfa. Najveća svetinja u njenom okrilju je čudotvorna ikona Svetog Spiridona. Vaseljenski patrijarh Samuil 12. juna 1763. godine uzdigao je manastir u rang stavropigijalnog. Jeromonah Sofronije dobio je titulu mitropolita eparhije Irenopoleos.[10] U kripti manastira leže zemni ostaci kneza Grigorija Gike III, koga su Turci pogubili 1777. godine zbog otpora koji je pružao turskom osvajanju Bukovine. Kula zvonik u manastiru, koja je služila kao ulazna kula u prvobitno jakim zidinama utvrđenog manastira, u XVIII veku bila je pokrivena lukovičastom kupolom a prilikom obnove 1862. godine dobila je trščane oblik kape Svetog Spiridona, svetitelja kome je posvećena.[11] Sa obe strane kule zvonika stoje fontane barokne skulpturalne ornamentacije sa natpisima na crkvenoslovenskom, grčkom i turskom, koji svedoče da je u vreme vladavine Grigorija Aleksandru Gika, godine 1765, ovde položen prvi vodovod u Jašiju.[12]

[10] N. A. Bogdan, *Oraşul Iaşi. Monografie istorică şi socială, ilustrată*, Ed. Tehnopress, Iaşi 1997, 225, 226.

[11] D. Bădărău, I. Caproşu, *Iaşii vechilor zidiri*, Casa Editorială Demiurg, Iaşi 2007.

[12] I. Sorin, *Cercetări privitoare la istoria bisericilor ieşene*, Ed. Trinitas, Iaşi 2008.

Gore razmatrane prilike vezane za nastanak i etape podizanja crkava posvećenih Svetom Spiridonu u Trstu i Jašiju rečito odražavaju kulturnu dinamiku religije u njegovom „regionu" čije se središte, u predmoderno doba, nalazilo u Crkvi Svetog Spiridona u gradu Krfu i bilo locirano u kovčegu u kojem se čuvaju njegove mošti. One čine nultu tačku koncentracije svetosti iz koje polazi i širi se koncentrično ustrojen sakralni prostor pod zaštitom ovog svetitelja.[13] Pored jonskih ostrva, a pre svega Kefalonije i Zakintosa, sastavni deo šireg spoljnog kruga tog prostora ili regiona čine i sakralni prostori vezani za kult ovog svetitelja, poput crkava u Trstu, Zemunu i Jašiju. Jonska ostrva oduvek su, a naročito pred kraj XVIII i početkom XIX veka, predstavljala geografski, društveni, privredni i politički prostor nestabilnih granica koje su se menjale u zavisnosti od situacije na Balkanskom i Apeninskom poluostrvu. Prostor jonskih ostrva ne može se razmatrati nezavisno od Balkanskog i Apeninskog poluostrva između kojih se nalaze. Jonski arhipelag je u isto vreme deo Jadransko-jonskog prostora koliko i Peloponeza, Epira, jugoistoka jadranske obale, Dalmacije, Istre, ali i deo *via Egnatia* i njenih balkanskih ogranaka koji aksisom jug—sever spajaju Mediteran sa Dunavom.[14]

2. Na Kipru i u Carigradu

Zidna slika Svetog Spiridona sa severnog zida Crkve Svetog Nikole u Zemunu vremenski je poslednja u nizu vizuelnih formi transponovanja i rekonfigurisanja njegovog svetiteljskog identiteta i kulta, njegovog harizmatičnog lika čije konstruisanje započinje u dubokoj prošlosti prvih vekova hrišćanstva, u zlatnom veku crkvene patristike i ranoj istoriji hrišćanske crkve u poznoantičko doba. Različiti vidovi njegovog predstavljanja, različite ikonografske formule zastupljene u vizuelnoj kulturi mediteranskog sveta, pa tako i Balkana, odražavaju svu harizmatičnost slike ovog *par excellence* mediteranskog svetitelja,

[13] Е. Бакалова, А. Лазарова, „Мощите на св. Спиридон и структуриране на сакралното пространство на остров Корфу. Между Коностантинопол и Венеция", o koncentričnim krugovima sakralnog prostora na Jonskim ostrvima posebno 107. Vid. takođe Е. Бакалова, А. Лазарова, „'Новия Йерусалим' на св. Герасим от Кефалония", u: *Култът към реликвите и чудотворните икони. Традиции и съвременност*, 127—136.

[14] Za metodološki savremenu studiju istorijskih prilika na Jonskom arhipelagu krajem XVIII i početkom XIX veka vid. H. Dajč, *Sumrak starog Mediterana. Jonska ostrva 1774—1815*, HERAedu, Beograd 2016.

Slika 8. Prvi vaseljenski sabor, ikona kritskog slikara Mihaila Damaskina iz 1591. godine, danas u Muzeju Svete Katarine, Iraklion, Krit

jednog od najpoštovanijih svetih ljudi poznoantičkog Mediterana.[15] Kroz razvoj kulta Svetog Spiridona na Mediteranu i njegovu recepciju na Balkanu možemo da pratimo i razvoj različitih kolektivnih identiteta, svakako i pre svega utemeljenih u nizu individualnih identiteta, koji nadilaze današnje odrednice nacije i vere.

Sveti Spiridon bio je episkop grada Trimitunta na Kipru. Učestvovao je na Prvom vaseljenskom saboru održanom 325. godine u Nikeji, premda se njegovo ime u izvorima pominje tek kod Svetog Atanasija Aleksandrijskog, u naknadnom spisku 318 otaca crkve (Slika 8).[16] Zbog svojih antiarijevskih stavova kojima je izražavao jasno opredeljenje za trijadološka učenja, pominje se u tekstovima crkvene istorije čiji su autori Rufin, Izokrat i Sozomen, najznamenitiji istoričari crkve u IV i V veku. Osim njih, istorijsku ličnost Svetog Spiridona kao uvaženog i čuvenog svetog oca crkve konstantinovske epohe spominje i njegov savremenik Sveti Atanasije Veliki, episkop Aleksandrije. Među učesnicima sabora u Serdiki 343—344. godine on navodi, jednog za drugim, dva kiparska episkopa — Trifilija Ledarskog i Spiridona Trimituntskog — koji su pružili punu podršku Anastasijevim jasnim antiarijevskim stavovima. Time se kiparska crkva svrstala među čvrste zagovornike nikejskog učenja o trojedinom Bogu, uz egipatsku, palestinsku i zapadnu crkvu. Tako vidimo da se u konstantinovskoj epohi Sveti Spiridon u izvorima pominje kao jedan od kiparskih episkopa, ali još ne u svojstvu trimituntskog čudotvorca čiji je svetiteljski identitet počeo kasnije da se gradi.[17]

Takav njegov lik počinje da se pomalja tokom V veka u tekstovima istoričara crkve — Rufina, Gelazija Kizikijskog, Sokrata Sholastika, Sozomena, Gelazija Kesarijskog. Svi se oni oslanjaju na kiparsku usmenu

[15] Up. Peter Brown, "The Cult of the Saints; id. Society and the Holy in Late Antiquity"; Isti, "The Making of Late Antiquity"; Isti, "The saint as exemplar"; P. Magdalino, "'What we heard in the Lives of the Saints we have seen with our own eyes': the holy man as literary text in tenth-century Constantinople", u: *The Cult of Saints in Late Antiquity and the Middle Ages: Essays on the Contribution of Peter Brown*, ur. J. Howard-Johnston, P. A. Hayward, Oxford University Press 1999, 83—114.

[16] *Synaxarium ecclesiae Constantinopolitanae e codice Sirmondiano nunc Berolinensi*, ur. H. Delehaye, (Propylaeum ad Acta Sanctorum, Novembris), Bruxelles 1902, kol. 303; Вид. Е. Бакалова, А. Лазарова, „Мощите на св. Спиридон и структуриране на сакралното пространство на остров Корфу. Между Коностантинопол и Венеция", 105—106.

[17] А. Ю. Виноградов, „Введение", у: *Свт. Спиридон Тримифунтский, Кипрский Чудотворец, Агиографическе источники IV—X столетий*, Издание пустыни Новая Фиваида Афоннского Русского Пантелеимонова монастыря, Издательство Санкт-Петербургского университета, Святая гора Афон 2008, Petropoli MMVIII, 1—18, posebno 2—3. Уп. P. van den Ven, *La Légende de S. Spyridon Évêque de Trimithonte*, 48.

tradiciju u građenju lika Svetog Spiridona kao pastira, episkopa, kao i na sledećem: Spiridon je prosijao kao svetitelj u doba Konstantina Velikog, bio je istovremeno i pastir i episkop i činio mnoga čuda. Najstariji spomenik kiparske tradicije, na koju se oslanjaju svi pomenuti izvori V veka, jeste prvo njegovo žitije koje je u jampskim stihovima sastavio episkop Trifilije iz Ledre, Spiridonov saputnik i učenik, saborac u borbi protiv arijanske jeresi i komentator *Pesme nad pesmama* kojeg je hvalio blaženi Jeronim. Nažalost, originalni tekst u stihovima nije sačuvan. Do nas su stigla dva žitija u prozi nastala na osnovu stihovanog žitija Trifilija iz Ledre, tzv. Lavrentijansko žitije, verovatno iz ranovizantijskog perioda, i žitije iz VII veka koje se pripisuje episkopu Teodoru iz Pafosa. Van den Ven smatra da je rano žitije sastavio Leontije Neapoljski, rođeni Kipranin, koji je početkom VII veka iz Aleksandrije pobegao na Kipar sa patrijarhom Jovanom Milostivim. Žitije Svetog Spiridona Leontije je, po Van den Venovom mišljenju, mogao napisati dok je boravio u Aleksandriji, a spominje ga u Žitiju Svetog Jovana Milostivog koje je sastavio 610—619. godine. Vinogradov s pravom postavlja pitanje zašto Leontijevo žitije nije postalo širokorasprostranjeno na Kipru, nakon što je Leontije stigao na njega iz Aleksandrije. Van den Ven smatra da Leontije sa sobom nije poneo primerak teksta, te da je o njemu ostao samo pomen u žitiju Svetog Jovana Milostivog.[18]

Prvo sačuvano i istorijski dokumentovano žitije Svetog Spiridona napisao je kiparski episkop Teodor iz Pafosa. Prvi put ono je pročitano u Trimituntu, nad svetiteljevim grobom, na njegov praznik 12. decembra 654. godine.[19] U žitijima se posebno ističe činjenica da je Sveti Spiridon bio pastir te da je, nakon što je postao episkop, i dalje nosio svoju pastirsku kapu od pletene slame ili vrbovog granja i lišća. Štaviše, etimologija njegovog imena vezuje se za grčki naziv za ovu okruglu, pletenu kapu, *spiris*. Ona je i trajni beleg ikonografije ovog svetitelja koji se predstavlja, kao i ostali jereji, u sakosu i omoforu, ali uvek sa ovom pletenom kapom na glavi (Slika 9).[20]

Na osnovu gore pomenutih izvora — Svetog Atanasija, velikih crkvenih istoričara V veka, posebno Sozomena, i prerađenog materijala jampskog žitija svetog te hagiografskog štiva Teodora iz Pafosa, može se

[18] А. Ю. Виноградов, „Введение", 3—8. Уп. P. van den Ven, *La Légende de S. Spyridon Évêque de Trimithonte*, 54—55, 115—120.

[19] А. Ю. Виноградов, „Введение", 8—12, posebno 9.

[20] Е. Бакалова, А. Лазарова, „Мощите на св. Спиридон и структуиране на сакралното пространство на остров Корфу. Между Константинопол и Венеция", 106.

Slika 9. Sveti Spiridon u povorci arhijereja u oltarskom prostoru Crkve Hrista Pantokratora u Dečanima

rekonstruisati život Svetog Spiridona. Rodio se krajem III veka na Kipru, u selu Askiji, u hrišćanskoj porodici. Oženio se i imao je decu. Po imenu je poznata njegova ćerka Irina, koja je živela u devstveništvu i umrla za očevog života. Spiridon je bio izabran za episkopa susednog Trimitunta a nastavio je da čuva svoje stado kao pastir. Trifilije iz Ledre bio je njegov saputnik, saborac i učenik. Spiridon je kao episkop Trimitunta puno putovao po Kipru. Prema svedočenju izvora, boravio je u Konstantijani, Eritreji, Kireniji, Kifriji i Parimni. U Aleksandriji je bio 320. godine na saboru, u Carigradu 325. godine na Prvom vaseljenskom saboru, u Antiohiji 340. godine a na saboru u Serdiki 342—343. godine. To je ujedno i poslednji podatak o delatnosti svetog sačuvan u izvorima. Upokojio se 346. godine i bio je sahranjen u Trimituntu.[21]

Prvo svetilište njemu posvećeno nalazi se na Kipru. To je Bazilika Svetog Spiridona u Trimituntu, grobno mesto gde je sahranjen u IV veku (Slika 10).[22] Uspomena na njega liturgijski se proslavlja 12. decembra po starom, odnosno 25. po novom kalendaru. Godine 655, na praznik Svetog Spiridona, Teodor iz Pafosa je u grobnoj Crkvi Svetog Spiridona u Trimituntu na Kipru održao pohvalno slovo velikom kiparskom svetitelju. U ovom hramu je, očigledno, veoma rano, još mnogo pre VII veka, postojao žitejni ciklus kao važan deo programa dekoracije ovog svetog mesta koji je poslužio kao krunski dokaz istinitosti svetiteljevih moći i njegove borbe protiv nevernika. Naime, okupljeni vernici koji su slušali ovu besedu Teodora iz Pafosa isprva nisu

[21] А. Ю. Виноградов, „Введение".

[22] C. A. Stewart, „The First Vaulted Churches in Cyprus", *Journal of the Society of Architectural Historians*, Vol. 69, No. 2 (June 2010), 162—189, posebno 163, 178, 184, 185.

Slika 10. Prvi grob Svetog Spridona u Trimituntu na Kipru

poverovali njegovim rečima o tome kako je Sveti Spiridon u Aleksandriji srušio idole čistom snagom svoje molitve. Tek kad su prepoznali scene iz njegovog žitija koje su se nalazile iznad portala crkve, poverovali su u istinitost Teodorovih reči.[23]

Vizuelno i vizuelna manifestacija projavljivanja blagoslova Božijeg kroz dela Svetog Spiridona očigledno su imali izuzetno značajnu ulogu u razvoju i negovanju njegovog kulta od najranijih vremena. Stoga su njegova žitija odličan izvor za poznavanje vizuelne kulture pozne antike i srednjeg veka.[24] U žitiju Teodora iz Pafosa, tj. u njegovoj kasnijoj adaptaciji kod Simeona Metafrasta, opisuje se kuća koju svetitelj pretražuje kako bi pronašao i vratio nakit koji je njegova ćerka Irina bila dobila kao pozajmicu od žene koja ga je kasnije potraživala. Ova epizoda svedoči o sposobnosti Svetog Spiridona da opšti sa mrtvima. Uputstva o mestu na kome je trebalo tražiti potraživanu ogrlicu dobio je od svoje upokojene ćerke.[25] U kategoriju njegovih čuda vezanih za vizuelno, a posebno

---

[23] L. Jessop, "Pictorial Cycles of Non-Biblical Saints: The Seventh and Eighth-Century Mural Cycles in Rome and Contexts for Their Use", *Papers of the British School at Rome* 67, 1999, 233—279. Vid. D. Mouriki, tekst prema Ioana Bitha Deltion.

[24] A. Kazhdan, H. Maguire, "Byzantine Hagiographical Texts as Sources on Art", *Dumbarton Oaks Papers* 45, 1991, 1—22, posebno 18, 22.

[25] A. Kazhdan, "Women at Home", *Dumbarton Oaks Papers* 52, 1998, 1—17, posebno 10, sa izvorima.

za njegove ikone, mogli bismo svrstati legendu o ikoni Svetog Spiridona koja bi, kad bi bila ostavljena u mraku, kao čudotvorna antifonitis ikona tražila od monaha da joj prinesu svetlost sveće.[26]

Najupečatljivije i najprepoznatljivije čudo Svetog Spiridona koje je na više načina vezano za vizuelno, a pre svega za vatru i svetlost, jeste njegovo čudo sa crepom. Iako se u žitijima pominje tek od XVI veka, vezuje se za izvesno najvažniji trenutak u njegovom životu, onaj koji ga je, na Prvom vaseljenskom saboru, uvrstio među najistaknutije borce protiv arijanske jeresi, i doslovno odmah pored Svetog Nikole. Da bi bezbožnom filozofu dokazao istinitost dogme o trojedinom Bogu, Sveti Spiridon je bez reči načinio čudo sa crepom koji je držao u ruci, a koji se razložio na tri dela od kojih je sačinjen: na vodu koja je iscurila na pod, plamen koji je suknuo naviše i zemljani prah koji mu je ostao u ruci.[27] Ovaj vrhunski dokaz tri ipostasi Boga sasvim je sigurno morao ostaviti dubokog traga. Prisutan je ne samo u fresko-slikarstvu i ikonopisu — gde je od kraja XVI veka jedno od najzastupljenijih ikonografskih rešenja Svetog Spiridona, naročito u okviru predstava Prvog vaseljenskog sabora, žitejnih ikona i ikona stojeće ili dopojasne figure ovog svetitelja (Slika 11)[28] — već i u domenu potvrđivanja starih shvatanja o simbolici materijala, opeke pre svega, od kojih je nastalo zdanje hrišćanske crkve kao ikona tela Hristovog.[29] Prvi poznati primer predstavljanja čuda sa crepom nalazi se na ikoni iz 1595. godine koju je u izradio krfski slikar Emanuel Canfurnaris, učenik kritskih majstora, koja se čuva u Helenskom institutu u Veneciji. Ovo je takođe prvi sačuvani primer ikone sa žitejnim ciklusom Svetog Spiridona.[30]

U VII veku njegove mošti su pred arabljanskim osvajanjima u istočnom Mediteranu[31] bile prenete u Carigrad, što je doprinelo širenju

---

[26] N. Oikonomides, "The Holy Icon as an Asset", *Dumbarton Oaks Papers* 44, 1991, 35—44, posebno 39, sa izvorima.

[27] Е. Бакалова, А. Лазарова, „Мощите на св. Спиридон и структуиране на сакралното пространство на остров Корфу. Между Константинопол и Венеция", 108, sa izvorima.

[28] C. Walter, "Icons of the First Council of Nicea", *Deltion tes christianikes arheologikes etaireias* 16, 1991—1992, 209—218.

[29] O simbolici materijala i crkvi kao telu Hristovom vid. J. Erdeljan, „Studenica. An Identity in Marble", *Зоїраф* 35, 2011, 93—100, sa izvorima i literatuom. Vid. takođe И. Стевовић, *Византијска црква. Образовање архитектонске слике светости*, 99—171.

[30] I. Μπίθα, ΠΑΡΑΤΗΡΗΣΕΙΣ ΣΤΟΝ ΕΙΚΟΝΟΓΡΑΦΙΚΟ ΚΥΚΛΟ ΤΟΥ ΑΓΙΟΥ ΣΠΥΡΙΔΩΝΑ, ΔΕΛΤΙΟΝ ΤΗΣ ΧΡΙΣΤΙΑΝΙΚΗΣ ΕΤΑΙΡΕΙΑΣ, ΠΕΡΙΟΔΟΣ Δ΄ ΤΟΜΟΣ ΙΘ΄ 1996—1997, 1997, 251—284, posebno 282—283.

[31] O istoriji Kipra u ovom periodu vid. L. Zavagno, *Cyprus between Late Antiquity and the early Middle Ages (c. 600—800). An Island in Transition*, Routledge 2017.

njegovog kulta u čitavom hrišćanskom a posebno istočnohrišćanskom svetu, preko Kipra, Atine i Carigrada do Jerusalima i Alpa. U Carigradu je bio poštovan i kao zaštitnik ribara. Iz prestonice Carstva njegov kult se proširio na čitav Balkan i na prostore Rusije. Kod slovenskih naroda u srednjem veku, naročito kod Rusa, to proslavljanje bilo je vezivano za prethrišćanski kult sunca i proslavljanje zimskog solsticija. U Novgorodu se praznik Svetog Spiridona nazivao i Spiridonovim povratkom. Kako zbog trenutka u kom se proslavlja povratak sunčeve svetlosti i ponovno buđenje prirode tako i zbog njegovog pastirskog poziva, Sveti Spiridon se, zajedno sa Svetim Vlasijem, proslavlja kao zaštitnik plodne letine i plodnosti uopšte, o čemu svedoči poznata novgorodska ikona iz XIV veka.[32] Svedočanstva o proslavljanju Svetog Spridona u srpskoj crkvi u srednjem veku nalaze se u spomenu njegovog praznika već u Jevanđelju iz Crkoleza iz XIII veka koje se čuva u riznici manastira Dečana, podjednako kao i u pismu koje je Sveti Sava Srpski, uz evlogije hodočašća, iz Svete zemlje poslao prvom studeničkom igumanu Spiridonu, 1233. godine.[33]

Slika 11. Ikona čuda Svetog Spiridona sa crepom, XVIII vek, Kotor

Različiti izvori različito određuju mesto gde su u prestonici Carstva bile pohranjene njegove mošti. Tako se kao mesto njihovog čuvanja pominje jedan ženski manastir koji bi se, prema Sinaksaru Velike crkve, mogao identifikovati kao manastir Bogorodice Keharitomeni, zadužbine

[32] Е. Бакалова, А. Лазарова, „Мощите на св. Спиридон и структуиране на сакралното пространство на остров Корфу. Между Константинопол и Венеция", 107—108. Up. В. Лазарев, *Новгородская иконопис*, Москва 1969, 21—22, No. 23.

[33] Свети Сава, *Сабрана дела*, приредила Љ. Јухас-Георгиеска, Београд 2005, 2017; А. Петијевић, „Иконе светог Спиридона у музејским збиркама, трагови једног светитељског култа", 58.

Irine Duke, žene cara Aleksija I Komnina. Antonije Novgorodski, ruski monah koji je bio na poklonjenju carigradskim svetinjama oko 1200. godine i o tome ostavio pisano svedočanstvo, beleži da se u Crkvi Svetih apostola nalazi glava Svetog Spiridona a da su telo i ruka pohranjeni u manastiru Bogorodice Odigitrije.[34]

Prve sačuvane predstave Svetog Spiridona potiču iz X veka i nalaze se u pećinskim crkvama u Kapadokiji, Gulu dere, Čavušin, Tokali kilise i Gereme.[35] Do prenosa njegovih moštiju na Krf, u vreme dok su se čuvale u Carigradu, srednjovekovno zidno slikarstvo na Balkanu svedoči o predstavljanju Svetog Spiridona pre svega u svojstvu svetog oca crkve i branitelja prave, istinite vere. Iako nije bio na prvobitnom spisku učesnika Prvog vaseljenskog sabora održanog 325. godine u Nikeji, upisan je naknadno među 318 svetih otaca i stoga se mogao naći u povorci arhijereja u oltarskim apsidama crkava. Prvi sačuvani primer je onaj iz Crkve Svete Sofije u Ohridu iz XI veka.[36] Iz potonjih vremena, sačuvane su predstave Svetog Spiridona u povorci arhijereja u crkvi Bogorodice Perivlepte u Ohridu (1294/95) i Svetog Đorđa u Starom Nagoričinu (1317/18), u crkvi Hrista Pantokratora u manastiru Dečanima (1330) (Slika 9), kao i u crkvi Svetog Nikole u Psači (1365/1371).[37] U Crkvi Svetog Nikole Rodijasa kod Arte iz XIII veka naslikan je u luku na prolazu između protezisa i oltarske apside.[38] U isto vreme, u franačkoj Moreji, figura Svetog Spiridona naslikana je u okviru programa dekoracije kapije bedema Nafpliona na Peloponezu, najverovatnije u funkciji zaštitnika moreplovaca. U funkciji svetog oca crkve i branitelja prave vere

---

[34] Е. Бакалова, А. Лазарова, „Мощите на св. Спиридон и структуиране на сакралното пространство на остров Корфу. Между Константинопол и Венеция", 105—106, sa literaturom i izvorima. O manastiru Bogorodice Keharitomeni vid. R. Janin, "Les monastères du Christ Philanthrope á Constantinople", *Revue des études byzantines* 4/1, 1946, 135—162.

[35] Е. Бакалова, А. Лазарова, „Мощите на св. Спиридон и структуиране на сакралното пространство на остров Корфу. Между Константинопол и Венеция", 107; C. Jolivet-Levy, *Les eglises Byzantines de Cappadoce*, Paris 1991, 39, 105, 139.

[36] Е. Бакалова, А. Лазарова, „Мощите на св. Спиридон и структуиране на сакралното пространство на остров Корфу. Между Константинопол и Венеция", 107.

[37] G. Babić, C. Walter, "The inscriptions upon liturgical rolls in Byzantine apse decoration", *Revue des études byzantines* 34, 1976, 269—280, posebno 275. Detaljan popis svih srpskih srednjovekovnih crkava u kojima je sačuvana predstava Svetog Spiridona u povorci arhijereja kod А. Петијевић, *Заборављени чудотворац. Култ светог Спиридона у српској традицијској култури*, 43—49, sa literaturom.

[38] Л. Фундић, „Зидно сликарство цркве светог Николе Родијаса код Арте", *Зограф* 34, 2010, 87—110, posebno 90.

Slika 12. Mošti Svetog Spiridona

sačuvana je i freska iz XIV veka, iz starijeg sloja živopisa u crkvi koja je njemu bila posvećena na atinskoj Agori.[39]

3. Na Krfu i u Boki kotorskoj

U XV veku, nakon pada romejske prestonice, mošti Svetog Spiridona (Slika 12) prenete su na Krf, gde se i danas nalaze kao najveća svetinja grada, ostrva i Jonskog arhipelaga (Slika 13).[40] Okolnosti u crkvenom životu i posebnosti crkvenog života i njene organizacije na Krfu koje su postojale od XIII veka nadalje stvorile su kontekst u kojem su se uobličile recepcija kulta i lokalna, „regionalna", religija Svetog Spiridona kao svetog zaštitnika grada, ostrva i jonskog arhipelaga, što je bilo polazište novog talasa prenosa i recepcije njegovog kulta na Balkanu u rano moderno doba, naročito na njegovoj zapadnoj obali, u Epiru, Boki i Dalmaciji, ali i sve do Dunava i Transilvanije.

Nakon što je Krf u XIII veku najpre dospeo pod vlast napuljskih Anžuvinaca, potom 1386—1387. godine i pod kontrolu Venecije, na njemu su uporedo delovale dve hrišćanske denominacije i crkvene

---

[39] M. Alison Frantz, "St. Spyridon: The Earlier Frescoes", *Hesperia: The Journal of the American School of Classical Studies at Athens*, Vol. 10, No. 3, 1941, 193—198.

[40] Е. Бакалова, А. Лазарова, „Мощите на св. Спиридон и структуиране на сакралното пространство на остров Корфу". Vid. takođe T. Nikolaidis, "'Local religion' in Corfu: sixteenth to nineteenth centuries", *Mediterranean Historical Review* 29/2, 2014, 155—168.

Slika 13. Krf, pogled na zvonik Crkve Svetog Spiridona

organizacije. U najgrubljim crtama predstavljeno, jedna matično vezana za Rim a druga za Carigrad. U XV veku, na Saboru Firence—Ferare (1438—1445), objavljena je i formalno ostvarena unija dveju crkvi. Iako je u Carigradu unija doživela krah u vreme cara Jovan VIII Paleologa i patrijarha Josifa II, i vernici je nikad nisu prihvatili, ona je formalno postojala i kad je Carigrad pao pod osmansku vlast 1453. godine. Nakon pada Carigrada antiunionistički raspoloženo sveštenstvo Vaseljenske patrijaršije odbacilo je uniju, ali na mestima poput Krfa koji nije bio pod vlašću Osmanlija niti pod jurisdikcijom Vaseljenske patrijaršije, *status quo* ustanovljen u Ferari ostao je nepromenjen: „Grci" su sa „Latinima" delili istu doktrinu ali su i zadržali sopstvene sakramentarne obrede i liturgijski jezik. Uz to, sveštenstvo obeju crkvi bilo je pod administrativnom jurisdikcijom Rima. Latini su imali biskupa, a Grci poglavara crkve sa titulom protopapas. Ukoliko bi došlo do sukoba sa latinskim biskupom, protopapas bi mogao da traži i obezbedi zaštitu samog pape. Takvo stanje stvari u crkvenom životu odgovaralo je Veneciji budući da je obezbeđivalo mir među stanovništvom koje je moglo i dalje da održava svoje verske obrede i običaje, a da ga pritom Rim ne doživljava kao jeretičko ili šizmatičko. Ovakve okolnosti se mogu uporediti sa odnosom koji je Đenova imala sa zajednicom grkokatolika na Korzici koja je bila pod njenom upravom. Ovaj period istorije crkve na Krfu istoričari

Slika 14. Spoljni kivot Svetog Spiridona

Slika 15. Unutrašnji kivot Svetog Spiridona

koji su se ovim pitanjima bavili u XIX i XX veku nisu dovoljno podrobno proučavali, a nisu ni uvažavali pravo značenje koje termini grčko i pravoslavno imaju u kontekstu gore navedenih odnosa između hrišćanskih denominacija i crkava na ostrvu. Pažnju treba usmeriti ne toliko na zvanično propisane crkvene administrativne okvire određene u Ferari koliko na ono što bi se moglo nazvati „lokalnom" religijom u okviru koje kult Svetog Spiridona ima ključnu ulogu kao kult svetog zaštitnika grada i ostrva.[41]

Sam čin *translatio reliquiarum* Svetog Spiridona iz Carigrada na Krf bio je verovatno *furtum sacrum*, usmeren ka zadovoljavanju rastuće potrebe za relikvijama na tržištu Zapadne Evrope. Iz nepoznatih razloga relikvije su ostale u gradu Krfu koji je prvobitno moguće bio zamišljen samo kao njihova usputna stanica. Prema tradiciji, godine 1489. Georgios Kalohertis, nekad sveštenik u romejskoj prestonici, doneo je relikvije Svetog Spiridona i Svete Teodore na Krf. Relikvije su bile u posedu porodice Kalohertis sve do udaje njegove ćerke za člana porodice Vulgaris, kad im je u miraz donela ovu svetinju. Mošti su se čuvale na raznim mestima u gradu Krfu, čak i u privatnoj crkvi porodice Vulgaris, koja je srušena 1557. godine u poduhvatu podizanja nove fortifikacije u gradu. Godine 1589. savršeno očuvano telo Svetog Spiridona (Slika 12) preneto je u novu crkvu, gde se i danas nalazi u dvostrukom kivotu smeštenom sa severne strane oltara (Slike 14 i 15), u „kripti" tj. protezisu koji krasi pedeset tri votivna kandila, među kojima su i ona srpskih priložnika.[42] Tavanicu je 1727. godine oslikao Panajotis Doksaras u tradiciji poznog venecijanskog baroka, sa pozlaćenim drvorezbarenim okvirima scena žitija i čuda Svetog Spridona. Ovo slikarstvo u XIX veku restaurirao je i preslikao Nikolas Aspiotis (Slika 16), član znamenite krfske porodice Aspiotis koja je 1873. godine na Krfu osnovala prvo veliko grčko izdavačko preduzeće i štampariju.[43]

U izvorima nema podataka koji bi govorili o životu i delovanju neteljenih moštiju Svetog Spiridona tokom prvih decenija njihovog

---

[41] T. Nicolaidis, "'Local religion' in Corfu: sixteenth to nineteenth centuries", 156, sa izvorima i literaturom.

[42] Е. Бакалова, А. Лазарова, „Мощите на св. Спиридон и структуиране на сакралното пространство на остров Корфу", 109—111, sa detaljnim opisom crkve i kivota. Za kandila i ostale darove srpskih priložnika vid. А. Петијевић, *Заборављени чудотворац. Култ светог Спиридона у српској традицијској култури*, 9—15. O fenomenu *furta sacra* vid. P. J. Geary, *Furta Sacra. Thefts of Relics in the Central Middle Ages*, Princeton University Press, Princeton 1990.

[43] A. B. Talki, *Corfu: History, Monuments, Museums*, Ekdotike Athenon S.A., Athens 1983, 54.

Slika 16. Crkva Svetog Spiridona na Krfu, enterijer ikonostas i oslikana tavanica

boravka na ostrvu. Prve naznake javnog proslavljanja i razvijenog kulta ovog svetitelja u gradu Krfu i na ostrvu potiču iz dokumenata vezanih za gradsko veće koji se datuju u 1524. i 1542. godinu. Oni se odnose na važne događaje u istoriji gradske i ostrvske zajednice a u kojima je ključnu ulogu spasitelja odigrao Sveti Spiridon. Prvi podatak, iz 1524. godine, odnosi se na zaustavljanje epidemije kuge, a drugi na osmansku opsadu iz 1537. godine. U oba slučaja izbavljenje od nevolje je, prema verovanju Krfljana, obezbedio svetitelj čije su se mošti čuvale u gradu od XV veka. Budući da je Krf bio pod venecijanskom vlašću još od 1386—1387. godine, čini se opravdanim pretpostaviti da su Venecijanci pozitivno gledali na činjenicu da je Krf odabrao svog svetog zaštitnika grada koji je u toj ulozi zamenio Svetog Marka, smatrajući to prihvatanjem njihovog modela i obrasca.[44]

Identitet Svetog Spiridona kao svetog oca crkve i episkopa sa Kipra iz poznoantičkog vremena koji je napustio svoju domovinu nakon arabljanskih osvajanja i preselio se u Carigrad a posle pada Carigrada pod osmansku vlast odabrao da se nastani na venecijanskom tlu, mogao je samo da potpomogne i dublje utemelji ideju *translatio Constantinopoleos* tj. *translatio Hierosolymi*, koja leži u osnovi identiteta izabranosti Serenisime i njenih posebnih odnosa sa Romejskim carstvom i Carigradom. Izvesno je da je nakon 1570. godine i gubitka Kipra za Veneciju u korist sultana Selima II ova simbolika postala još izraženija i moćnija.[45]

U narednom stoleću, nakon dve epidemije kuge, godine 1629. i 1673—1674, kult je bio konačno i temeljno uspostavljen. Venecijanski guverneri Krfa, čije su blagovremeno primenjene mere bile najzaslužnije za relativno mali broj žrtava ovih epidemija, u svojim izveštajima su naglašavali da ih je kao sluge bogomizabrane i bogomčuvane Serenisime pomogao Sveti Spiridon kao patron Krfa. U oba slučaja venecijanski zvaničnici su u gradu priredili velike litije u znak zahvalnosti Svetom Spiridonu i u njegovu čast, a u njima je učestvovalo celokupno stanovništvo, i Grci i Latini. Procesija je ponavljana svake godine kako bi se u kolektivno pamćenje građana urezala moć države koja je bila sposobna da se izbori

[44] Е. Бакалова, А. Лазарова, „Мощите на св. Спиридон и структуиране на сакралното пространство на остров Корфу", 112.

[45] T. Nicolaidis, "'Local religion' in Corfu: sixteenth to nineteenth centuries", 157. Vid. takođe M. Georgopoulou, "Late Medieval Crete and Venice: An appropriation of Byzantine heritage", *The Art Bulletin* 77, 1995, 479—49; *San Marco, Byzantium, and the Myths of Venice*, ur. H. Maguire, R. S. Nelson, Dumbarton Oaks Symposia and Colloquia, Harvard University Press 2010.

Slika 17. Sveti Spiridon na prestolu i veduta Krfa sa čudom vatre iz 1718. godine, Atina

sa smrtnom opasnošću i tako zadobije naklonost i pomoć svetog patrona grada — Svetog Spiridona. U isto vreme, ove godišnje litije svedočile su da su grad Krf i celo ostrvo imali sopstvenog svetog zaštitnika i da su se time odredili kao posebno političko telo sa sopstvenim identitetom.[46]

Odraz tako rekonfigurisanog kulta u vizuelnoj kulturi najupečatljivije se prepoznaje u središnjem mestu koje zauzimaju nove ikonografske formule vezane za Svetog Spiridona i njegova krfska delovanja. Uz gore navedena gradozaštitna čuda iz XVII veka, tome su doprineli i čudesno pojavljivanje Svetog Spiridona koji je 1716. godine, u okviru poslednjeg velikog osmansko-venecijanskog rata koji je trajao od 1714. do 1718. godine, odagnao tursku opsadu ostrva (Slika 17), kao i njegovo čudesno zaustavljanje epidemije kuge iste godine.[47] Rekonfigurisani kult Svetog Spiridona kao krfskog svetog zaštitnika i ključnog markera identiteta stanovnika tog ostrva jonskog arhipelaga i čitavog njegovog „regiona", u ikonografiji je od tada izražavan pre svega predstavama njegovih moštiju (*leipsana*). One se prikazuju samostalno ili praćene predstavama Bogorodice sa malim Hristom, anđelima i fugurama pojedinačnih svetitelja, kao i Svetom Trojicom, Deizisom, samim Svetim Spiridonom

[46] Prva litija na Veliku subotu održana je 1550. godine i taj običaj, regulisan dokumentom koji je izdala porodica Vulgaris 1571, zadržao se do danas. Ostale litije odvijale su se na dan Svetog Spiridona 12/25. decembra, na Cveti i 11. avgusta, a dva puta godišnje mošti su bile iznošene iz velikog srebrnog relikvijara i uspravno postavljane za celivanje u crkvi. Vid. E. Бакалова, А. Лазарова, „Мощите на св. Спиридон и структуиране на сакралното пространство на остров Корфу", 113—114; T. Nicolaidis, "'Local religion' in Corfu: sixteenth to nineteenth centuries".

[47] Е. Бакалова, А. Лазарова, „Мощите на св. Спиридон и структуиране на сакралното пространство на остров Корфу", 113.

kao stojećom figurom ili figurom na tronu, scenama iz žitija svetog i njegovim krfskim čudima.[48]

Motiv moštiju Svetog Spiridona najčešći je u ikonopisu, ali ne ređe ni i u drugim tehnikama, na srebrnim (votivnim) pločicama ili u drvetu, u vidu malih portativnih skulptura izvesno namenjenih privatnoj pobožnosti.[49] Pretpostavlja se da je ovaj ikonografski tip ustanovio Teodor Pulakis, jedan od kritskih slikara koji su živeli na Krfu i masovno proizvodili ikone za veliki broj poklonika i među pravoslavnima i među katolicima, te za potrebe crkava širom Mediterana i Balkana. Ikone Teodora Pulakisa ali i ikone Konstantina Cane i Filotesa Skufosa bile su, shodno potrebama i jezičkoj pripadnosti klijentele, signirane kao *το λείψανο του Αγίου Σπυρίδωνος* ili *RELIQUIA DI S. SPIRIDONE.*[50] Popularnost ovog rešenja, uključujući i područje unutrašnjosti Balkana i severno od Dunava, među srpskim slikarima, bila je posebno pospešena prenošenjem grafičkih listova sa predstavama moštiju Svetog Spiridona koji su nastali u Veneciji, na Svetoj Gori i Krfu od druge polovine XVIII do kraja XIX veka.[51] Ikonografska formula koja kao centralni motiv ima predstavu mrtvog, ali potpuno neteljenog tela u uspravljenom, često natkriljenom baldahinom i cvetnim zastorima okruženog relikvijara (Slika 18), novog groba ovog hodajućeg svetitelja, čije su papuče godišnje presvlačene, a delovi razdavani kao relikvije, imala je za cilj evokaciju *ur*-groba, Svetog groba Hristovog. Hristomimesis tela Svetog Spiridona i doživljaj njegovog kivota kao novog Groba Gospodnjeg moralo je davati ogromnu snagu i uverljivost stvaranju „regiona" pod njegovim

---

[48] Vid. iscrpne ikonografske podatke i veliki broj primera iz srpskih zbirki i zbirki koje pripadaju srpskim crkvenim opštinama u Crnoj Gori, Hrvatskoj, Italiji, Mađarskoj i Rumuniji, dokumentovano fotografijama kod A. Петијевић, *Заборављени чудотворац. Култ светог Спиридона у српској традицијској култури*, 75—92. Za ikone čuda Svetog Spiridona, uključujući i ona koja je učinio na Krfu, gde se scene čuda predstavljaju i uz mošti Svetog, vid. I. Μπίθα, ΠΑΡΑΤΗΡΗΣΕΙΣ ΣΤΟΝ ΕΙΚΟΝΟΓΡΑΦΙΚΟ ΚΥΚΛΟ ΤΟΥ ΑΓΙΟΥ ΣΠΥΡΙΔΩΝΑ; Z. Demori Staničić, „Ikone sv. Spiridona s prikazom opsade Krfa 1716. godine", u: *Razmjena umjetničkih iskustava u jadranskom bazenu, Zbornik Dâna Cvita Fiskovića VI*, ur. J. Gudelj, P. Marković, FF Press, Zagreb 2016, 127—138.

[49] A. Петијевић, *Заборављени чудотворац. Култ светог Спиридона у српској традицијској култури*, 85—87, posebno 85 sa retkim sačuvanim primerom Moštiju Svetog Spiridona u duborezu koji se čuva u Muzeju Srpske pravoslavne crkvene opštine a deo je zaostavštine protojereja Jovana Bućina.

[50] A. Петијевић, *Заборављени чудотворац. Култ светог Спиридона у српској традицијској култури*, 75. Vid. takođe Б. Чоловић, *Иконопис книнске крајине* 2, Београд 1997, 9.

[51] D. Papastratos, *Paper Icons: Greek Orthodox religious engravings 1665—1899*, Athens 1990, 289—293.

Slika 18. Kotor, Crkva Svetog Luke, kapela Svetog Spiridona, ikona mošti Svetog Spiridona na ikonostasu iz XVIII veka

patronatstvom kao sakralnog prostora ustanovljenog na principima *translatio Hierosolymi* i *translatio Constantinopoleos*.

U multikonfesionalnom i multilingvalnom okruženju tipičnom za Balkan recepcija rekonfigurisanog kulta Svetog Spiridona i njegova inherentna heteroglosija pokazuje se ikonografijom u okviru koje se ovaj svetitelj javlja i kao učitelj crkve, branitelj istinite vere, i kao čudotvorac, zaštitnik od kuge, zaštitnik od Turaka i zaštitnik moreplovaca. To se najbolje očituje na jednom sasvim mikrotopografskom primeru, u Boki kotorskoj kao mikroekološkom regionu Mediterana. Vladimir Lamanski u svom spisu *Secrets d'État de Venise* iz 1884. godine, govori o poslednjem veku Serenisime kao o „italo-slovensko-grčkom" razdoblju, naglašavajući etničku i kulturnu raznolikost Venecijanske republike u periodu nakon osmansko-venecijanskih ratova. U domenu vizuelne kulture, ovaj tripartitni dijalog između italijanskog, grčkog i slovenskog činioca u Republici primećuje se i u vizuelnoj kulturi istočnojadranske obale, naročito u Dalmaciji i Boki kotorskoj. U istoj crkvi radili bi majstori različitih etničkih, kulturnih i verskih identiteta, što u oblasti o kojoj je reč, a naročito kad je u pitanju Boka kotorska, predstavlja istinski fenomen dugog trajanja koji se može pratiti od srednjovekovnog razdoblja.[52]

Najveći broj srpskih pravoslavnih hramova posvećenih ovom kiparskom svetitelju, čije su se mošti od ranog modernog doba čuvale na Krfu, nalazi se na Jadranskom primorju, a među njima najveći i najraskošniji je onaj u Trstu.[53] Kult Svetog Spiridona, kao zaštitnika pomoraca, bio je

[52] M. Voulgaropoulou, "Cross-Cultural Encounters in the Twilight of the Republic of Venice: The Church of the Dormition of the Virgin in Višnjeva, Montenegro", *Journal of Modern Greek Studies*, Vol. 36, No. 1, May 2018, 25—69.

[53] А. Петијевић, *Заборављени чудотворац. Култ светог Спиридона у српској традицијској култури*, 145—169, 191.

Slika 19. Kotor, Crkva Svetog Luke sa kapelom Svetog Spiridona

veoma razvijen u Boki kotorskoj, gde mu je posvećeno nekoliko hramova, zaključno sa onima iz XIX i XX veka. Crkva Svetog Spiridona u Đenovićima je parohijska crkva koju je podigla grupa od 254 darodavca. Nastala je između 1867. i 1870. godine prilozima meštana, a izgrađena je na mestu koje je izabrao Gerasim Petranović, prvi episkop Bokokotorsko-dubrovačke eparhije, pored obale mora i jednog izvora.[54] Crkva manastira u Ograđenici na Paštrovskoj gori iznad Svetog Stefana takođe je posvećena Svetom Spiridonu. Podignuta je 1906. godine na mestu starijeg hrama iste posvete koji se datiran u period između 1811. i 1837. godine.[55]

U Kotoru je sa severne strane Crkve Svetog Luke u XVIII veku podignuta kapela posvećena Svetom Spiridonu (Slika 19).[56] Crkva je podignuta 1195. godine, u doba Nemanjića.[57] Zadužbina je Mavra Kazafranke i njegove supruge Bone. Odlukom mletačkih vlasti sredinom XVII veka ustupljena je pravoslavnim žiteljima grada. U njoj se nalazio i katolički oltar koji je uklonjen 1812. godine po dolasku Napoleona.[58] Prema sačuvanim pisanim izvorima, kapela Svetog Spiridona podignuta je 1760. godine.[59] Postoje tri pisana dokumenta vezana za prepravku „ćelije" pri Crkvi Svetog Luke,

[54] Isto, 163—165.

[55] Isto, 166—167

[56] С. Милеуснић, „Иконостас у капели Светог Спиридона у Котору", u: *Црква Светог Луке кроз вјекове, Зборник радова*, ур. В. Кораћ, Котор 1997, 221—231; А. Петијевић, *Заборављени чудотворац. Култ светог Спиридона у српској традицијској култури*, 154—155.

[57] Г. Томовић, „Натпис на цркви Светога Луке у Котору из 1195. године", u: *Црква Светог Луке кроз вјекове, Зборник радова*, 23—32.

[58] А. Петијевић, *Заборављени чудотворац. Култ светог Спиридона у српској традицијској култури*, 154.

[59] С. Милеуснић, „Иконостас у капели Светог Спиридона у Котору", 222; М. Чанак-Медић, „Которски Свети Лука у светлу нових открића", *Зборник за ликовне уметности Матице српске* 21, 1985, 61.

odnosno za radove na kapeli Svetog Spiridona koja se naziva i „drugi oltar Svetog Luke". Dva dokumenta su iz 1765. a jedan je iz 1766. godine i sva tri je napisao mitropolit Sava Petranović. Radovi na kapeli bili su okončani do 1771. godine, kad je u njoj sahranjena izvesna Anđe. Ikonostas sa scenama je morao biti urađen do 1786. godine, kad se pominje u izvorima, isto kada i srebrni okov na prestonim ikonama.[60]

Slika 20. Kotor, Crkva Svetog Luke, kapela Svetog Spiridona, ikonostas sa predstavom Hrista Arhijereja

Izbor i raspored ikona na ovom ikonostasu jasno se može sagledati kao neposredno upoređivanje Svetog Spiridona sa Hristom, naglašavanje njegove *alter Christos* prirode. Najpre, na carskim dverima je predstavljen Hristos Veliki Arhijerej (Slika 20) koji desnom rukom blagosilja a u levoj drži otvoreno jevanđelje. Figura je smeštena u izduženi pravougaoni okvir vratnica lučno završenih tako da stvaraju utisak kivorija ili baldahina koji po formi veoma podseća na oblik i način stilizovanja predstava kivota Svetog Spiridona, teme najviše rasprostranjene upravo u vreme slikanja ikonostasa u kotorskoj kapeli kiparsko-kritskog svetitelja. Tako se vizuelno povezuje položaj Hristovog tela kao prvosveštenika u Carstvu nebeskom sa položajem moštiju Svetog Spiridona u njegovom otvorenom i uspravljenom kovčegu. Upravo takva ikona, mošti Svetog Spridona (Slika 18), nalazi se sa severne, leve strane carskih dveri, neposredno uz ikonu Hrista na tronu. Iznad te prestone ikone Hrista je ikona Polaganja Hristovog u grob sa natpisom na grčkom, dok je iznad ikone Svetog Spiridona predstava njegove smrti, sa telom na odru oko kojeg je devet stojećih figura (Slika 21).[61] Treba razmotriti nameru da

[60] С. Милеуснић, „Иконостас у капели Светог Спиридона у Котору", 222, na osnovu arhiva Srpske pravoslavne opštine u Kotoru.

[61] Za raspored ikona na ikonostasu u kapeli Svetog Spiridona uz Crkvu Svetog Luke u Kotoru vid. С. Милеуснић, „Иконостас у капели Светог Спиридона у Котору", 223. Treba istaći da se neuobičajena predstava na carskim dverima — Hristos Veliki Arhijerej, javlja na istom mestu i u Crkvi Svetog Spiridona u Skradinu; Isto.

Slika 21. Kotor, Crkva Svetog Luke, kapela Svetog Spiridona, ikona sa predstavom tela Svetog Spiridona na odru na ikonostasu

se ovakvom vizuelnom retorikom naglasi prejemstvo Svetog Spiridona kao jereja koji služi u Crkvi Hristovoj, istinitoj Skiniji, koju je Hristos ustanovio kao Prvosveštenik budućih dobara (Jevrejima 9, 11—13). Takođe, neteljene mošti u kivotu nadvišene baldahinom mogu biti znak rajskog blaženstva nastanjenih u domu Oca Nebeskog. Rajskoj simbolici doprinose floralni motivi na zastorima iza kivota i oko njega, često beli i sa cvetovima izvedenim crvenom i zelenom, tradicionalnim hromatskim rešenjem poznoantičkog i ranohrišćanskog Elizijuma.

O rasprostranjenosti, funkciji i modusima vizuelizacije kulta Svetog Spiridona među stanovništvom Boke obe denominacije hrišćanskog življa, pravoslavne i katoličke crkvene pripadnosti, veoma rečito svedoče zavetne srebrne pločice koje su prilagane velikim svetilištima, a naročito su brojne sačuvane u crkvi manastira Svetog Antonija Padovanskog u Perastu i Crkvi Gospe od Škrpjela. Tako u glavnom baroknom katoličkom, marijanskom svetilištu bokokotorskog zaliva, sakralizovanog priobalja i akvatorije koji čine imaginarni i idealni Vrt Bogorodičin, u svetilištu podignutom kao večni stan čudotvorice i zaštitnice, svete ikone Gospe tipa Odigitrije koja je sa Istoka doplovila morem i odabrala

Slika 22. ***Ex voto*** **srebrna pločica iz Gospe od Škrpjela, dar Ivana Balovića iz 1722. godine**

da se nastani ispred Perasta,[62] nailazimo na votivne pločice sa predstavom moštiju Svetog Spiridona.[63]

Na jednoj koja je dar Ivana Balovića iz 1722. godine (Slika 22), izrađenoj u tehnici iskucavanja na srebrnoj ploči, nalazimo predstavu jedrenjaka iznad kojeg je u centru, na oblacima, dopojasna predstava Bogorodice tipa Odigitrije sa malim Hristom na levoj ruci. I nju je, takođe u dopojasnoj figuri na oblacima, Sveti Antonije Padovanski sa detetom Isusom i karakterističnim krinom. S druge, leve Bogorodičine strane je kivot sa moštima Svetog Spiridona. Natpis pri vrhu pločice

[62] Vid. S. Brajović, *U Bogorodičinom vrtu: Bogorodica i Boka Kotorska — barokna pobožnost zapadnog hrišćanstva*, Plato, Beograd 2006, 184—211; Ista, "Marian piety as devotional and integrative system in the Bay of Kotor in the early modern period", u: *Beyond the Adriatic Sea. Plurality of Identities and Floating Borders in Visual Culture*, 126—150; S. Brajović, J. Erdeljan, "Praying with the sense. Examples of icon devotion and the sensory experience in medieval and early modern Balkans", *Zograf* 39, 2015, 57—63, posebno 61.

[63] J. Garnett, G. Rosser, "The Ex Voto Between Domestic and Public Space", u: *Domestic Devotions in Early Modern Italy*, Brill 2018.

Slika 23. ***Ex voto*****, srebrna pločica iz Crkve Gospe od Škrpjela sa slovenskim natpisom**

ispisan je latinskim slovima.[64] Druga pločica, takođe srebrna i urađena u tehnici iskucavanja, manjih dimenzija, nosi samo predstavu moštiju Svetog Spiridona signiranu slovenskim pismom (Slika 23).[65]

Na ikonama XVIII veka nailazimo na isti izbor svetitelja — Svetog Antonija Padovanskog i Svetog Spiridona, uparenih sa Bogorodicom. Tako je i sa ikonom iz riznice Župne crkve Svetog Nikole u Perastu. U gornjem delu je Bogorodica koju krunišu dva anđela sa malim Hristom na desnoj ruci, dopojasno naslikana na oblaku, signirana grčki MP ΘY, dok su levo i desno ispod nje Sveti Antonije signiran latinski i mošti Svetog Spiridona signirane grčki.[66] Još složeniju ikonografsku varijantu predstavlja ikona iz XVIII veka iz Narodnog muzeja u Beogradu na kojoj je u donjoj zoni, ispod dopojasne Bogorodice sa malim Hristom na oblaku i dva anđela koja im se klanjaju, u središtu ikone predstava moštiju Svetog Spiridona flankirana stojećim figurama Svetog Antonija Padovanskog i Svetog Spiridona u odeždi episkopa, sa tipičnom pletenom kapom, u stavu blagosiljanja (Slika 24).[67] Multilingvalnost i multikonfesionalnost u okviru jednog istog sakralnog prostora, zapadna i istočna ikonografija u istoj crkvi ili na istom panelu, tradicionalna je, i istorijski odranije poznata pojava u Boki kotorskoj. Tako

---

[64] P. Pazzi, *Ex-voto delle Bocche di Cattaro: Perasto, Mula, Perzagno e Stolivo*, Venezia 2010, 94. O fenomenu *ex voto* vid. J. Garnett, G. Rosser, "The Ex Voto Between Domestic and Public Space", u: *Domestic Devotions in Early Modern Italy*, ur. M. Corry, M. Faini, A. Meneghin, Brill, Leiden, Boston 2018, 45—62.

[65] А. Петијевић, *Заборављени чудотворац. Култ светог Спиридона у српској традицијској култури*, 190.

[66] Isto, 125.

[67] Isto.

je na primer, u crkvama Presvete Bogorodice u Mržepu i Svetog Mihaila u Kotoru, iz XV veka.[68] Slična kombinacija svetitelja, sa predstavom Bogorodice i krfskim gradozaštitnim čudima i žitijem Svetog Spiridona te njegovim moštima, sreće se i na ikonama iz istog perioda sa jadranske obale i ostrva, iz Trogira i Kaštela. To su ikone malog formata koje su bile namenjene privatnoj pobožnosti. Stajale su na kućnim oltarima, a kasnije su prilagane crkvama kao votivi.[69]

Slika 24. Ikona Bogorodice sa malim Hristom, Svetim Antonijem Padovanskim i moštima Svetog Spiridona, Narodni muzej, Beograd

U riznici manastira Praskvice iznad Svetog Stefana čuva se ikona Bogorodice sa Hristom iz XVIII veka. Ispod njene polufigure koja sedi na tronu je friz svetitelja: Sveti Spiridon, Svetom Sveti Nikola i jednom neidentifikovani apostol. Ovde je priključen Sveti Sava Srpski u očigledno pravoslavnom kontekstu, onaj svetitelj koji se priključuje i identifikuje sa trijadom branitelja istinite vere, kao što je to činio Sveti Antonije Padovanski na ikoni iz katoličke Župne crkve Svetog Nikole u Perastu (Slika 25).[70] Ima i rešenja

---

[68] В. Ј. Ђурић, „Језици и писмена на средњовековним фреско-натписима у Боки Которској: значај за културу и уметност", u: *Црква Светог Луке кроз вјекове, Зборник радова*, 255—269, uz ukazivanje na moguće razloge za grčko-latinske natpise u Svetom Mihailu u Kotoru, te grčko-slovensko-latinske natpise u Bogorodičinoj crkvi u Mržepu koje treba tražiti u crkvenim i političkim prilikama na Mediteranu i Balkanu nakon Sabora u Firenci—Ferari. O multilingvalnosti i upotrebi različitih pisama kao markera vladarskog identiteta u srpskoj vizuelnoj kulturi srednjeg veka vid. J. Erdeljan, "Two inscriptions from the Church of Sts. Sergius and Bacchus Near Shkodër and the Question of Text and Image as Markers of Identity in Medieval Serbia", u: *TEXTS—INSCRIPTIONS—IMAGES, Art Readings, Thematic annual peer-reviewed edition in Art Studies in two volumes, 2016/vol. 1 — Old Art*, ur. E. Moutafov, J. Erdeljan, Institute of Art Studies, Bulgarian Academy of Sciences, Sofia 2017, 129—143, sa starijom literaturom.

[69] Z. Demori Staničić, "Ikone sv. Spiridona s prikazom opsade Krfa 1716. godine".

[70] А. Петијевић, *Заборављени чудотворац. Култ светог Спиридона у српској традицијској култури*, 127.

Slika 25. Ikona Bogorodica sa malim Hristom, Svetim Spiridonom, moštima Svetog Spiridona i Svetim Antonijem Padovanskim, župna Crkva Svetog Nikole u Perastu

na kojima je Sveti Sava Srpski postavljen da, zajedno sa Svetim Nikolom, flankira mošti Svetog Spiridona, kao što je to na delu srpskog ikonopisca iz XVIII veka, na ikoni iz Crkve Svetog Spiridona u Skradinu (Slika 26).[71]

Tokom čitavog zrelog i poznog srednjeg veka kao i predmodernog doba, naročito od vremena prvih krstaških ratova, katolički zapad bio je u dodiru sa hrišćanskim društvima koja nikad nisu izgubila kontakt sa idejama, osećanjima i modelima religiozne prakse pozne antike koji su, u svojoj ukupnosti, posebno uvažavali i negovali pojavu svetitelja koji su mogli biti oponašani.[72] Prema rečima Pitera Brauna, nije bilo Svetog Avgustina da im upropasti radost svetkovanja i da baci senku svojih strogih nazora o doličnosti u proslavljanju svetitelja koja je udaljila zapadni svet od prvobitnih, poznoantičkih oblika uživanja u trijumfu svetih kao obliku njihovog zvaničnog praznovanja. Ta tradicija nastavila je da živi u istočnohrišćanskom svetu, na Balkanu, u Rusiji kao i u afričkim hrišćanskim zajednicama, u Egiptu i Etiopiji.[73] No, uprkos razlikama, istočno i zapadno hrišćanstvo nikad nisu postali dva potpuno razdvojena sveta. Oba su baštinici pozne antike. Stoga je uloga svetitelja kao uzorka i onog spram koga se rekonfigurišu pojedinac i zajednica utemeljena na dubokim istorijskim korenima, zajedničkim kako istočnom tako i zapadnom hrišćanstvu i u pozno srednjovekovno i rano

[71] Isto, 128.

[72] Vid. gore. Vid. takođe P. Magdalino, "'What we heard in the Lives of the Saints we have seen with our own eyes': the holy man as literary text in tenth-century Constantinople".

[73] Za istoriju Afrike u srednjem veku vid. F.-X. Fauvelle, *Das goldene Rhinozeros. Afrika im Mittelalter*, C. H. Beck Verlag, München 2017.

moderno doba.[74] To je posebno očigledno u sredinama gde su oba hrišćanska identiteta isprepletana i geografski i istorijski neraskidivo spojena na jednom mikroprostoru, poput južne obale Jadrana, naročito na području Boke kotorske. Sveti Spiridon i njegov kult, kao i vizuelna kultura koja im pripada, odlična su ilustracija upravo ovog fenomena.

Slika 26. Mošti Svetog Spiridona sa Svetim Nikolom i Svetim Savom Srpskim, Skradin, XVIII vek

Izvesno je da su u Zapadnoj Evropi u poznom srednjem veku i u rano moderno doba slike na dasci, često u vidu triptiha, namenjene privatnoj pobožnosti, imale za uzor vizantijske ikone ili one predstave koje su oponašale vizuelni identitet vizantijskih slika. U velikom broju slučajeva, takvi predmeti, posebno oni nastali u Veneciji, na balkanskom primorju pod venecijanskom vlašću kao i na egejskim ostrvima i Levantu pod Latinima, mogu se posmatrati i kao izuzetni primeri kros ili transkulturalne razmene.[75] U tom svetlu i kao sastavni deo takve tradicije mogle bi se posmatrati i zavetne pločice od srebra ali i ikone iz Boke kotorske na kojima je Sveti Spiridon predstavljen zajedno sa Svetim Antonijem Padovanskim ili Svetim Savom, kao primeri gde su se istočni i zapadni svetitelji našli na istom devocionom panelu, tj. na ikoni privatne pobožnosti, svaki naslikan u „svom" stilu.

U vreme kad su na Zapadu počele da se pojavljuju i koriste u funkciji privatne pobožnosti, ikone su prevashodno vezivane i identifikovane sa religijskom praksom romejskog stanovništva pravoslavne vere. Stoga njihova upotreba u domovima katoličkog stanovništva Apeninskog poluostrva

[74] P. Brown, "Enjoying the Saints in Late Antiquity", u: *Decorations for the Holy Dead, Visual Embellishments on Tombs and Shrines of Saints*, ur. S. Lamia, E. Valdez del Alamo, Brepols, Tournhout 2002, 3—20, posebno 13.

[75] M. Bacci, "Devotional Panels as Sites of Intercultural Exchange", u: *Domestic Devotions in Early Modern Italy*, ur. M. Corry, M. Faini, A. Meneghin, Brill, Leiden—Boston 2019, 272—292.

nije uvek i obavezno nailazila na potpuno i bezuslovno razumevanje, odobravanje i prihvatanje. Lav iz Toskane (Leo Tuscus), poreklom iz Pize, zvanični prevodilac vizantijskog cara Manojla I Komnina koji je tokom sedme i osme decenije XII veka boravio u Carigradu, opisivao je grčku praksu poštovanja ikona u kućama kao izuzetno opasno odstupanje od tradicionalnog hrišćanskog odnosa i kontakta sa svetošću. On opisuje preteče kućnih proskinitara, *mansinculae*, male tabernakle ili ono što će u Rusiji postati *krasni ugol*, koji, kako kaže, gotovo da omogućavaju proslavljanje svete liturgije u spavaćoj sobi.[76]

Čudno je, međutim, što ovakvu praksu osuđuje čovek poreklom iz Pize koja se upravo ističe svojim veoma rano iskazanim interesovanjem za oslikane panele sa religijskom tematikom u kućnoj upotrebi, a u funkciji privatne pobožnosti. U Pizi koja je imala čitavu mrežu isprepletanih kontakata i kolonija na istočnom Mediteranu, veze sa Carigradom, krstaškim državama na Levantu, Sirijom i Palestinom, to je postalo uobičajeno. Imitacija ikona vizantijskog tipa i likovnog izraza bila je veoma rasprostranjena u ovoj toskanskoj luci. Takva je, na primer, Bogorodica koja se prvobitno nalazila u Crkvi Svete Klare, a danas se čuva u Nacionalnom muzeju San Mateo, i koja se datuje u XII vek (Slika 27). Naslikana je u Pizi sa svesnom namerom da oponaša oblike, ikonografiju i stilske odlike njoj savremenih vizantijskih ikona tipa Bogorodice Odigitrije komninskog razdoblja.[77] Ova ikona iz Pize bliska je tipološki, ikonografski i hronološki mozaičkoj ikoni Bogorodice Odigitrije iz Hilandara pred kojom je, po rečima svojih hagiografa, Svetog Save, Stefana Prvovenčanog i Domentijana, Simeon Nemanja, prema sopstvenoj izričitoj želji, ispustio dušu. Jednovremeno predmet i središte sasvim privatne pobožnosti ali i najvišeg državnog kulta, ova hilandarska ikona, nastala u nekoj od vrhunskih radionica u Carigradu ili Solunu oko 1198. godine u luksuznoj tehnici zlatnog mozaika, po svemu predstavlja recepciju kulta carigradske čudotvorice, zaštitnice prestonice i paladijuma Carstva, ikone Bogorodice Odigitrije čiji kult je i javno, a jednovremeno sasvim privatno, carsko

---

[76] M. Bacci, "Devotional Panels as Sites of Intercultural Exchange", 273, sa izvorima i literaturom. O poreklu devocionih slika i ikona u antici vid. T. F. Matthews, *The Dawn of Christian Paintings in Panel Paintings and Icons*, J. Paul Getty Museum, Los Angeles 2016.

[77] M. Bacci, "Palaiologan Icons in Tuscany", u: *Afeiroma ston akadaimaoko Panayoti Vokotopoulo*, Athena 2015, 567—576. Vid. takođe Isti, Toscane, "Byzance et Levant: pour une histoire dynamique des rapports artistiques méditeranéens au XIIe et XIIIe siècles", u: *Orient et Occident méditeranéens au XIIIe siècle. Les programmes picturaux*, ur. J.-P. Caillet, F. Joubert, Paris 2012, 235—256.

Slika 27. Madona di Santa Kjara, Nacionalni muzej, San Mateo Piza, XII vek

Slika 27a. Ikona Bogorodice Odigitrije, manastir Hilandar

proslavljanje dosegao svoj zenit u romejskoj prestonici upravo u vreme vladavine dinastije Komnina.[78] Štaviše, neki izvori tog vremena ukazuju na mogućnost da su u Toskanu bili preneti ne samo vizuelni obrasci već i obrasci religijske prakse privatne pobožnosti i kulta ikona, naročito običaj da se svete slike postavljaju na određena povlašćena mesta u privatnim prostorima, pre nego u javnim. Na primer, žitije jedne lokalne svetiteljke — Svete Bone iz XIII veka, svedoči o tome da su monasi Crkve San Mikele delji Skalci (San Michele degli Scalzi) imali običaj da se mole pred ikonama koje su se nalazile u njihovim ćelijama.[79]

Slike na panelima nastale u Pizi, koje su najbliže vizantijskim ikonama kako po likovnim svojstvima tako i po molitvama koje su njihovim

[78] S. Brajović, J. Erdeljan, "Praying with the sense. Examples of icon devotion and the sensory experience in medieval and early modern Balkans", 58—59, sa izvorima i literaturom. O razvoju i ispoljavanju privatne pobožnosti među članovima vladarske porodice Komnina vid. В. Станковић, *Комнини у Цариграду. Еволуција једне владарске породице*, Београд 2006, 270—288.

[79] M. Bacci, "Devotional Panels as Sites of Intercultural Exchange", 275.

Slika 28. Madona iz katedrale grada Pize, XIII vek

posredovanjem upućivane pre svega odabranim svetiteljima i Bogorodici, uglavnom su skromnih dimenzija. Pojedine imaju reljefnu borduru, katkad pozlaćenu ili, u kao što je to sa Bogorodičinim slikama, ukrašenu predstavama svetitelja. Pojedini primerci imaju polukružno oblikovanu, zakrivljenu gornju ivicu, što bi moglo da ukaže na to da su prvobitno pripadale triptisima. Izuzetan primer je visokopoštovana Madona iz katedralne crkve grada Pize (Madonna di sotto gli organi) koja se datuje u period oko 1200. godine a pripisuje se i vizantijskoj i lokalnoj toskanskoj produkciji (Slika 28). Detalji poput prozirne tunike na Hristovoj ruci kojom blagosilja, kao i način na koji je naslikana odežda Hrista i Bogorodice te proporcije njihovih tela, nepoznati su onovremenoj zapadnoj tradiciji. Vizantijski vizuelni i sakralni identitet ove predstave dodatno je naglašen grčkim natpisom na otvorenoj knjizi na kojoj je ispisan stih iz Jevanđelja po Jovanu (8: 12), detalj koji se prevashodno nalazi na monumentalnim predstavama Pantokratora a ređe na predstavama Emanuila na ikonoma Hrista i Bogorodice. Dodatno je zanimljiva i važna potvrda da je ovo delo, moguće prvobitno kao deo triptiha, bilo namenjeno privatnoj pobožnosti. To je potkrepljeno legendom zabeleženom krajem XV i početkom XVI veka, prilikom prenosa slike u crkvu i sferu javnog bogosluženja i molitve.[80]

Oponašanje ikona bilo je podstaknuto shvatanjima da je vizantijsko religiozno slikarstvo bilo ispunjeno izuzetnim ugledom, vezanim za njegove apostolske korene, budući da je proizašlo iz arhetipskih, po značenju i bliskosti sa originalom gotovo nerukotvorenih portreta Bogorodice i Hrista koje je izradio Sveti Luka. Zahvaljujući neprekinutom lancu kopija prema originalu oni su se prenosili u hrišćanskoj pravoslavnoj sferi iz generacije u generaciju. Slavna i štovana dela apostola Luke koja su se čuvala u Carigradu i Rimu, prema verovanju hrišćana

[80] Isto, 278.

čitave ikumene verno su predstavljala tačne fizionomije Hrista i Bogorodice. Stoga su bila smatrana istorijskim dokumentima njihovog izgleda, komplementarna po svojem svedočanstvu Svetom pismu. Lukino grčko poreklo vezivalo se za njegovu umešnost kao slikara budući da je slikarstvo doživljavano kao izuzetna vizantijska tehnika i medij.[81] Stoga su dela nastala u Pizi i drugim italijanskim gradovima, koja se svrstavaju pod generički naziv *maniera greca*, bila ispunjena autoritetom vizantijskog originala, *ur*-slike, što se ispoljavalo kroz oponašanje ikonografije, načina slikanja i ispisivanja natpisa na grčkom.

Sve do sredine XV veka nije bilo izričitih svedočenja o tome da je percepcija vizantijskog stila bila suštinski drugačija od zapadnog. Čenini, koji govori o Đotovom inovativnom pristupu i formama kao prevođenju, *translatio*, sa grčkog na latinski, ima na umu njegovo odstupanje od ranijeg toskanskog slikarstva oličenog upravo u delu Đunte Pizana. To je bila likovna tradicija koja je, prema Bokačovim rečima, smatrana popularnom, narodnom, čak vulgarnom, namenjena neukom puku, a ne intelektu mudrih ljudi. Slike XIII veka izrađene u *maniera greca* smatrane su osnovnim predmetom prilično nisko rangiranih devocionih praksi, i stoga sredinom XV veka suprotstavljane novim formama za koje se smatralo da su bile namenjene kultivisanim ljudima istančanih osećanja.[82]

Postoje svedočanstva o tome da su oko 1440. godine u Veneciji ikone i venecijanske slike posmatrane kao dve međusobno isključive kategorije. U knjižici o čudu koje je ikona Svete Teodosije Carigradske učinila u Veneciji, a koju je napisao sveštenik Andrea Inđenerio, jasno se kaže da su vizantijske ikone smatrane svrsishodnijim u privatnoj pobožnosti od venecijanskih slika koje su estetski više zadovoljavajuće. Upravo su u to vreme *alla greca* ikone postale rasprostranjene, ne samo u Veneciji, gde su kuće imale *ancone* i *anconette*, već i u Španiji i Flandriji. Njihova proizvodnja i distribucija širom Mediterana ali i Zapadne Evrope doprinele su ekonomskom procvatu specijalizovanih ateljea u Kandiji, na Kritu. Mnoge Madone koje su bile predmet posebnog poštovanja i pokloništva širom italijanskih crkava od ranog modernog doba nadalje prvobitno su se nalazile u kućnom, domaćem okruženju.[83]

---

[81] Vid. na primer *Images of the Mother of God*, ur. M. Vassilaki, Ashgate Publising, Aldershot and Burlington 2005.

[82] M. Bacci, "Devotional Panels as Sites of Intercultural Exchange", 279.

[83] Z. Demori Staničić, „Kontinuitet majstora i radionica 'kretsko-venecijanske škole' od 15. do 17. stoljeća na istočnoj obali Jadrana", u: *Majstorske radionice u umjetničkoj baštini Hrvatske. Zbornik Dana Cvita Fiskovića V*, ur. D. Milinović, A. Marinković, A. Munk, Odsjek za po-

Slika 29. Mater de Perpetuo Succursu, Andreas Ricos, XV vek, preslikana u XIX veku, Rim, San Alfonso al Eskvilino

Dobro poznati primer je Mater de Perpetuo Succursu danas u rimskoj Crkvi Svetog Alfonsa na Eskvilinu (Sant'Alfonso all'Esquilino) (Slika 29). Ova ikona je naslikana na Kritu a predstavlja Bogorodicu sa malim Hristom tipa Panagije *tou Pathous*, prema modelu koji je nastao u radionici Andreja Ricosa (Ritzos) u drugoj polovini XV veka. Legenda kaže da ju je iz jedne kritske crkve ukrao trgovac i postavio je u svojoj spavaćoj sobi u Rimu, nakon čega mu se Bogorodica više puta u snu javljala i izražavala negodovanje zbog nedostojnog smeštaja svoje ikone, čak i pretila smrću ukoliko se ikona ne prenese u crkvu. Troje ljudi je i doslovno i zgubilo život dok se to nije dogodilo, čak i tad uz zadrške i opravdanja da vlasnici nisu nevernici već hrišćani koji, kao i toliki drugi, drže slike poput ove u svojim domovima.[84]

Izbor predstavljenih svetitelja na slikama i ikonama privatne pobožnosti zavisio je od naručilaca i bio je vezan za njihovu porodičnu istoriju i pomoć koju su njeni članovi molili i primali iz višnjih sfera u odlučujućim životnim trenucima. Svetitelji su mogli biti predstavljeni kao stojeće ili dopojasne figure, uz narativne cikluse ili pojedinačne epizode iz žitija. Personalizovani pristup izboru i ikonografskim rešenjima predstavljenih figura mogao je rezultirati i njihovim međusobnim dijaloškim odnosom, *sacra conversazione*, što je stvaralo jedinstvena ikonografska i kompoziciona rešenja. Stoga su devocionalni paneli koje su radili majstori grčkog porekla za latinske naručioce u Veneciji sadržali raznorodne elemente i iz istočne i iz zapadne tradicije. O tome

vijest umjetnosti Filozofskog fakulteta Sveučilišta u Zagrebu — FF press, Zagreb 2014, 123—135. Vid. takođe Z. Sarnecka, *Madonnas and Miracles* https://www.fitzmuseum.cam.ac.uk/madonnasandmiracles.

[84] M. Bacci, "Devotional Panels as Sites of Intercultural Exchange", 279.

svedoči panel nastao oko 1370. godine, danas u Rijksmuseumu u Amsterdamu. Raspeće kombinovano sa predstavom Bogorodice sa malim Hristom bilo je meditativni fokus vernih koji su se usmeravali na iskupiteljsku misiju ovaploćenog Logosa i njegovu krsnu smrt kao put iskupljenja i spasenja. Način modelovanja figura i paleta boja moguće ukazuju na uzore u sferi umetnosti Paleologa, moguće kao delo vizantijskog autora iz venecijanske radionice (Slika 30). S druge strane, dvoslivni zabat na vrhu, te Bogorodičin maforion posut francuskim ljiljanima i njen beli veo koji joj je prebačen preko ramena, čine detalje koji ukazuju na poznavanje formula tipičnih za italijansku umetnost XIV veka. Ovo je samo jedan od mnogih primera na kojima se u okviru iste slike prepoznaje repertoar formi vizantijskog slikarstva povezan sa italijanskim načinom predstavljanja. On svedoči o tome da jednovremeno postojanje oba izvora slikarskog izraza u okviru istog dela ne podrazumeva njihovo međusobno isključivanje.[85]

Slika 30. Ikona Raspeća sa Bogorodicom sa malim Hristom, oko 1370, Rijksmuseum, Amsterdam

Različita rešenja mogla su uporedo postojati u okviru jednog dela. Ipak, dinamika koja je određivala koji će motiv iz tradicije „drugog" biti preuzet i prihvaćen, reinterpretiran i ispunjen novim značenjem bila je veoma složena i razlikovala se od slučaja do slučaja. Razlozi su ležali mahom u autoritetu koji je pripisivan određenim predstavama, određenim ikonografskim tipovima Bogorodice, na primer, kao i u svrsishodnosti i komunikativnosti određene slike ili lika. Važan činilac bila je i upoznatost naručilaca koji su takve slike držali u svom kućnom okruženju sa tim „drugim", iz čijeg repertoara su preuzimani vizuelni elementi, i njihova spremnost da prihvate drugačije vizuelne kontekste.

[85] Isto, 280.

Slika 31. Ikona Andreasa Ricosa iz XV veka sa Hristovim mukama naslikanim unutar inicijala imena Hristovog IHS ,Vizantijski i hrisanski muzej, Atina

Kritsko slikarstvo, posebno ikonopis, rečito govori o takvoj dinamici. Od XV veka, a moguće i ranije, od uspostavljanja venecijanske vlasti na Kritu 1210. godine, kandijske radionice specijalizovale su se za proizvodnju dela koja su odgovarala bilo romejskim bilo venecijanskim ukusima i potrebama a bila namenjena kako venecijanskoj tako i romejskoj, grčkoj, publici.[86] Istoriografija do danas nije dala zaokruženo tumačenje jedinstvenog ikonografskog rešenja koje se nalazi na panelu koji je u XV veku naslikao kritski slikar Andreas Ricos. Motiv latiničnih slova imena Isusovog „IHS" u okviru kojih su i doslovno smeštene scene stradanja obično se vezuje za široko propagiranu posvećenost Svetog Bernardina iz Sijene poklonjenju imenu Isusovom (Slika 31). Međutim, u okviru ovog rešenja nalaze se mnogi elementi koji ukazuju na daleko složeniju osnovu ikonografije koja je zasnovana na dubokoj erudiciji. Ovo rešenje je moguće čak tumačiti i u svetlu učenja hrišćanskih kabalista koja su bila prisutna i na Kritu i u Veneciji, kao i na čitavom

[86] M. Vassilaki, "From the 'Anonymous' Byzantine Artist to the 'Eponymous' Cretan Painter of the Fifteenth Century", u: *The Painter Angelos and Icon Painting in Venetian Crete*, ur. M. Vassilaki, Ashgate 2009, 3—66.

Apeninskom poluostrvu i istočnom Mediteranu. U svakom slučaju, ova slika jasno odražava sinkretizam intelektualnog, religioznog i umetničkog života i stvaralaštva na Kritu u XV veku, u doba renesanse.[87]

Slika je nastala u trećoj četvrtini XV veka i nosi potpis umetnika Andreasa Ricosa. Kombinacija tzv. italijanskih elemenata i vizantijskih vizuelnih rešenja proizvela je jednu vrstu „ikonizovanog" gotičkog imena Isusovog, monograma IHS. Latinična slova ispunjena su predstavama scena Hristovog Raspeća i Vaskrsenja a natpis na grčkom ispod njih preuzet je iz liturgijskog teksta pravoslavnog bogosluženja na nedeljno jutrenje. Venecijansko-grčka interakcija na Kritu u XV veku proizvela je ovakvu sliku koja se takođe može razmatrati i u kontekstu kontemplacije i meditacije usmerene na slova kao zamenu za ikonopokloničku devocionu praksu.[88]

Sama dela svedoče da su morfološki različite slike, poput oltarskih slika, poliptiha, triptiha ili ikona velikih dimenzija, mogle nastajati u istim radionicama te da su bile namenjene i latinskom i romejskom stanovništvu, katoličkim i pravoslavnim crkvama. Shodno tome, vizuelnost predstava na njima poticala je iz kruga obe tradicije. Za razliku od toga, likovi i scene predstavljeni na slikama manjeg formata namenjenih kućnom okruženju i ličnim potrebama i ukusima pojedinaca ili manjih grupa, porodice na primer, obično ne ukazuju jasno i nedvosmisleno na religioznu afilijaciju onih kojima su prvobitno bile namenjene. U mnogim slučajevima nije bilo stilske niti ikonografske podele koja bi sprečila naručioce, kao ni slikare, da spajaju i kombinuju vizuelnost istočnog i zapadnog hrišćanstva. Uopšteno govoreći, moglo bi se reći da su mnoga dela nastala na Kritu ili na istočnom Mediteranu tokom XIV i XV veka sve više bivala okrenuta naglašavanju dramatičnih vidova Hristovog stradanja i smrti na krstu, što bi odgovaralo potrebi transkonfesionalne zainteresovanosti za empatično i meditaciono saživljavanje i sastradavanje sa krsnom smrću Sina Božijeg.[89]

S druge strane, vizantijske formule osveštane vekovima dugom tradicijom i doslovno „ikoničnošću" bile su uptrebljavane za prikazivanje sveopštih svetitelja. Ipak, bilo je odstupanja od ovog pravila. Triptih

[87] U. Ritzerfeld, "In the Name of Jesus. The 'IHS' — Panel from Andreas Ritzos and the Christian Kabbalah in Renaissance Crete", *Journal of Transcultural Medieval Studies*, Vol. 2, Issue 2.

[88] M. Bacci, "The holy name of Jesus in Venetian-ruled Crete", *Convivium* 1, 2014, 190—205.

[89] Isto, 195.

Slika 32. Triptih, XV vek, Prag, Sveti Bernardino i istočni svetitelji

malih dimenzija koji se datuje u vreme oko 1460. godine a čuva se danas u Nacionalnoj galeriji u Pragu (Slika 32), jasno pokazuje upotrebu različitih stilova i ikonografije, zavisno od (hagiografskog) identiteta i kulta svakog pojedinačnog svetitelja. Na centralnom panelu ovog triptiha gotovo minijaturnih dimenzija (17,6 x 13,2 cm), naslikana je Bogorodica na tronu sa malim Hristom koji blagosilja. Na krilima otvorenog triptiha predstavljene su četiri stojeće figure svetitelja. Na desnom krilu su Sveti Jeronim i Sveti Bernardino iz Sijene a na levom Sveti Antonije Veliki i Sveti Jovan Preteča. Sveti Antonije jedini je ovde predstavljen svetitelj u potpuno frontalnom stavu. Stojeća figura Svetog Antonija monaha, pustinjaka u tamnosmeđoj rizi i crnoj kukuljici, sa dugačkom bradom podeljenom u dva pramena, najviše je „grčka" po ikonografiji i načinu slikanja. Tekst na grčkom koji je ispisan na razvijenom svitku dodatno doprinosi njegovom istočnom identitetu. Druge figure naslikane su u tradiciji italijanskog, ili preciznije, venecijanskog slikarstva u duhu Paola i Lorenca Venecijana i njihovih učenika. Sveti Jeronim je odeven u crvenu kardinalsku odeždu i u ruci drži model crkve, dok Sveti Bernardino iz Sijene drži žezlo sa svetim imenom Isusovim upisanim u sunčev disk. Lica su im naslikana u duhu prepoznatljivog oslanjanja na vizantijsku tradiciju, a odeća elegantno zavojitih nabora, bliska je poznogotičkim predstavama poznatim iz venecijanskog slikarstva poznog trečenta i narednih stoleća. Po svim odlikama, triptih iz Praga blizak je njemu savremenoj slikarskoj praksi radionica iz Kandije gde su se zapadni svetitelji predstavljali na „zapadni", a istočni na vizantijski način.[90]

Oslanjanje na različite, a prepoznatljive vizuelne idiome, vezane bilo za vizantijsku bilo za zapadnu tradiciju, u okviru jednog dela može se protumačiti potrebom da se odgovori na devocionalne potrebe pojedinca za koga je slika nastala. Tako se frontalno i prema vizantijskim modelima predstavljeni lik Svetog Antonija Pustinožitelja direktno obraća posmatraču koji se pred njim moli, kao predmet njegove kontemplacije, budući da on jedini nije u međuodnosu sa ostalim figurama. Ostali svetitelji, naslikani na venecijanski način, svojom interakcijom sa posmatračem treba da dočaraju svrsishodnost svog posredovanja za spas njegove duše. Želja da se vide posrednici prema Bogorodici i Hristu u njihovim aktivnim ulogama svetih zastupnika mogla je nadići konfesionalne podele i podjednako, biti bliska katoličkom i pravoslavnom verniku; prihvatljiva i poželjna u kontekstu privatne pobožnosti, ispovedane u krugu doma. Upravo je to, pre nego bilo kakav estetski kriterijum, utrlo put ka prisvajanju zapadnih formula, tj. venecijanskih rešenja na panelima namenjenim privatnoj pobožnosti i izražavanju molitvenih veza sa Bogorodicom i svetiteljima.[91]

Jedan primer iz riznice manastira Praskvice (Slika 33) — triptih malih dimenzija (35 x 62 cm) iz XVIII veka, rad grčkog slikara, sa Uspenjem Bogorodice na centralnom, lučno završenom polju i stojećim figurama Svetog Nikole i Svetog Spiridona na otvorenim krilima triptiha — po svemu suštinski pripada istoj tradiciji prethodno opisanih devocionih slika privatne pobožnosti na kojima su spojeni vizantijska formula i zapadni vizuelni izraz, tipičan za mediteransku vizuelnu kulturu predmodernog razdoblja.[92] Kao deo opšteg kulturnog pejzaža Grblja, na razmeđi između venecijanskog i osmanskog sveta, u isto vreme kada je naslikan i triptih iz manastira Praskvice, u XVIII veku, nastaje Crkva Uspenja Bogorodice u selu Višnjevu. Njeno slikarstvo se ipak jasno izdvaja od drugih sličnih dela vizuelne kulture jugoistočne obale Jadrana i crkava koje bismo mogli da odredimo kao izraz popularne pobožnosti. Ikonostas je delo grčkog slikara Tita, poreklom sa Krfa. Njegovo delo vezuje se za vizuelnu kulturu centara tog vremena u okruženju poput Kotora i Janjine, ali odiše

[90] M. Bacci, "Devotional Panels as Sites of Intercultural Exchange", 291.

[91] Isto, 292.

[92] А. Петијевић, *Заборављени чудотворац. Култ светог Спиридона у српској традицијској култури*, 120.

Slika 33. Triptih iz riznice manastira Praskvice, XVIII vek

i lokalnim odlikama koje odgovaraju zahtevima grbaljske sredine i naručilaca. Stoga predstavlja još jednu rečitu manifestaciju povezanosti i umreženosti jonskih ostrva i balkanske obale Jadrana.[93]

[93] M. Voulgaropoulou, "Cross-Cultural Encounters in the Twilight of the Republic of Venice: The Church of the Dormition of the Virgin in Višnjeva, Montenegro", *Journal of Modern Greek Studies* 36, 2018, 25—70.

Poglavlje V

Šabataj Sevi

1. Izgon iz Španije i stvaranje sefardske mediteranske talasokratije

Šabataj Sevi stigao je u Ulcinj iz Istanbula. Boravak na osmanskom Balkanu ovog jevrejskog mesije rođenog početkom XVII veka u Izmiru najviše je vezan za Solun, *Jerusalim Balkana,* kako je ovaj grad bio poznat kao glavni centar sefardske jevrejske zajednice nakon izgona Jevreja iz Španije 1492. godine, a i za Istanbul i Jedrene. Ipak, njegov boravak i njegova smrt u Ulcinju vezani su za presudne trenutke njegovog života i kulta[1] — apostasiju i preobraćenje u islam; za nastanak reda njegovih sledbenika, ali i preobraćenika (*donme, ma'aminim*), kao i ustanovljavanja kulta i početaka pokloništva njegovom grobu koji se i danas, prema još živom verovanju, nalazi u okviru domaćinstva porodice Manić u ovom gradu na jugu jadranske obale. U Ulcinj je došao u januaru 1673. godine kao Aziz Mehmed Efendi, a po naredbi sultana Mehmeda IV postavljen je za dizdara ulcinjske luke. Kao izvršitelj te funkcije bio je smešten u kuli Citadele ulcinjskog Starog grada, na mestu koje je vekovima unazad već bilo središte stvaranja „mi" identiteta i jedno od važnih mesta sećanja balkanske obale južnog Jadrana.

Drevni Ulcinj (Slika 1) leži na jugu jadranske obale Balkana, severno od ušća reke Bojane u more. Arheološka istraživanja koja je tokom druge polovine XX veka obavljao Arheološki institut iz Beograda, zajedno sa Zavodom za zaštitu spomenika Crne Gore, na svetlo su iznela mnoge tragove i materijalne ostatke više kulturnih slojeva ovog važnog pomorskog centra, od praistorijskih vremena do savremenog doba. Najstariji tragovi starog Olcinium-a su tzv. Kiklopske zidine ilirsko-helenske naseobine. Plinije Stariji (*Nat. hist.* III, 144) pominje Olcinium rečima „*quaed antea Colchinium dictum est, a Colchis conditum*", što bi moglo da ukaže na poreklo njegovih osnivača sa

[1] Osnovne, temeljne studije o Šabataju Seviju: G. Scholem, *Sabbatai Sevi, The Mystical Messiah, 1626—1676,* Routledge & Kegan Paul, London 1973; C. Sisman, *The Burden of Silence. Sabbatai Sevi and the Evolution of the Ottoman-Turkish Dönmes*, Oxford University Press, Oxford 2015.

Slika 1. Ulcinj

crnomorskog Ponta, na njegov nastanak kao kolonije stanovnika Kolhide, o čemu govori i Apolonije sa Rodosa u III veku p. n. e. (*Argonautica* IV, 516). Tome u prilog svedoči i etimologija imena grada Olcinium-a, moguće izvedeno iz Colchinium.[2]

Stari helensko-ilirski emporijum, od kojeg je danas sačuvan jedan oltar posvećen boginji Artemidi Elafabolos, crnofiguralne vaze i beli lekiti koji se danas nalaze u muzejskim zbirkama u Ulcinju i Baru, bio je deo helenskog sveta i kulture koja je cvetala sve do kraja I veka p. n. e. Od II veka p. n. e. započet je proces romanizacije. Tit Livije (*Ab urbe condita* 45, 26) pominje da se ovaj emporijum Rimu predao 168. godine p. n. e. zajedno sa Rizonom, današnjim Risnom u Boki kotorskoj. Olcinium je dobio status *oppidum*-a i naseljen rimskim ratnim veteranima koji su po rimskom pravu imali prava rimskih građana.[3]

U vreme nastanka rimske provincije Praevalis, kao dela provincije Illyricum Orientale, na kraju III i početku IV veka p. n. e., ova je oblast, čiji je Ulcinj sastavni deo, bila jedan od portala prihvatanja hrišćanstva

[2] O najstarijoj istoriji Ulcinja i otkrivenim materijalnim ostacima vid. Ђ. Бошковић, П. Мијовић, М. Ковачевић, *Улцињ*, Археолошки институт, Београд 1981, 6—8.

[3] Isto, 8.

na Balkanu.[4] U buli koju je 743. godine izdao papa Zaharije pominje se biskup grada Liciniatensis-a, čija je crkvena organizacija, tokom potonjih vekova, oscilirala između potčinjenosti jurisdikciji nadbiskupija Bara i Dubrovnika.[5] Fragmenti poznatog Ulcinjskog ciborijuma, otkriveni tokom arheološkog istraživanja Citadele Starog grada u periodu između dva svetska rata, čuvaju se danas u Narodnom muzeju u Beogradu i muzeju u Ulcinju. Natpis na kojem se pominju imena vizantijskih careva Lava III i njegovog sina Konstantina V (koji mu je bio savladar od 720. do 741. godine) svedoči upravo o tom razdoblju u istoriji grada.[6] Car Konstantin VII Porfirogenit je u X veku povezao Ulcinj sa Dračom (Dyrrachium) i u administrativnom i u strateškom smislu. Ulcinj se u njegovom znamentiom delu *De administrando Imperio* pominje kao *castellum* u temi Dyrrachium.[7]

Ulcinj je tokom srednjeg veka bio jedan od najznačajnijih centara trgovine, vojne moći i državne administracije u pomorskim zemljama srpskih država pod Vojislavljevićima, Nemanjićima, Lazarevićima i Balšićima.[8] Kula u kojoj je Aziz Mehmed Efendija kao dizdar luke imao rezidenciju, je prepoznatljiv i istaknut vizuelni signum identiteta grada Ulcinja. Podigla ju je Jelena Lazarević Balšić (1366/71—1443), ćerka srpskog kneza Lazara Hrebeljanovića i supruga Đurđa II Stracimirovića Balšića, vladara Zete. Krajem XIV i početkom XV veka, do 1411. godine ona je držala dvor u Ulcinju, odakle je Zetom upravljala u ime svog sina Balše III. Tako je, kao vladarka pomorskih zemalja, nastavila tradiciju srpske kraljice Jelene Anžujske, žene kralja Uroša I, koja je krajem XIII i početkom XIV veka vladala Zetom i pomorskim zemljama, od 1282. do 1309. godine, i stolovala u Ulcinju.[9] Jelena Lazarević Balšić je kao obrazovana žena plemenitog porekla

[4] Za temeljnu i na savremenim metodološkim pristupima zasnovanu opsežnu studiju o Prevalisu vid. I. Stevović, *Praevalis. Obrazovanje kulturnog prostora kasnoantičke provincije.*

[5] Ђ. Бошковић, П. Мијовић, М. Ковачевић, *Улцињ*, 8.

[6] I. Stevović, "The Emperor in the Altar: an Iconoclastic Era Ciborium from Ulcinj (Montenegro)", u: *TEXTS—INSCRIPTIONS—IMAGES, Art Readings, Thematic annual peer-reviewed edition in Art Studies in two volumes, 2016/vol. 1 — Old Art*, ur. E. Moutafov, J. Erdeljan, Institute of Art Studies, Bulgarian Academy of Sciences, Sofia 2017, 49—67.

[7] Isto, 54, sa literaturom i izvorima.

[8] *Историја српског народа*, I, ур. С. Ћирковић, Српска књижевна задруга, Београд 1981, 180—196, 195—211, 341—356; *Историја српског народа*, II, ур. Ј. Калић, Српска књижевна задруга, Београд 1982, 197—204, 410—412.

[9] O Jeleni Lazarević Balšić vid. S. Tomin, *Jelena Balšič e le donne nella cultura medievale serba*, Graphe.it, Perugia 2017, sa opsežnom literaturom i izvorima. Vid. takođe A. Vuković, "The epistles of the princess Jelena Balšić: an example of female cultural patronage in the late me-

Slika 2. Balšića kula u Ulcinju

vešto vodila diplomatiju svoje države razapete između dva moćna carstva tog vremena, Venecijanske republike i Osmanskog carstva. Zeta je bila u posedu njenog prvog muža Đurđa II Stracimirovića Balšića, a kasnije i njenog sina Balše III, koji je preminuo 1421. godine. Nakon njegove smrti Zeta je postala sastavni deo srpske Despotovine pod vlašću njegovog ujaka, Jeleninog brata despota Stefana Lazarevića.[10] Pod venecijansku upravu potpala je 1426. godine a u sastav Osmanskog carstva ušla je nakon Kandijskog rata 1571. godine.[11]

U osmanskom Ulcinju, kula koju je Jelena Balšić podigla na Citadeli Starog grada (Slika 2) dobila je početkom 1673. godine novog stanovnika — dizdara luke Aziza Mehmeta Efendiju tj. Šabataj Sevija (1626—1676) (Slika 3), jevrejskog harizmatskog samoproklamovanog mesiju koji je 1666. godine prešao u islam. Time su rekonfigurisani narativ i vizuelni

dieval Balkans", u: *Female Founders in Byzantium and Beyond*, ur. L. Theis, M. Mullett, M. Grünbart, Böhlau Verlag Gesellschaft m.b.H.KG., Wien—Köln—Weimar 2014, 399—407. O kraljici Jeleni Anžujskoj vid. *Јелена. Краљица, монахиња, светитељка*, ур. К. Митровић, Манастир Градац, Брвеник 2015; J. Erdeljan, "Two inscriptions from the church of Sts. Sergius and Bacchus near Shkodër and the question of text and image as markers of identity in medieval Serbia".

[10] *Историја српског народа*, II, 195—204; Ђ. Бошковић, П. Мијовић, М. Ковачевић, *Улцињ*, 11.

[11] Ђ. Бошковић, П. Мијовић, М. Ковачевић, *Улцињ*, 11.

Slika 3. Portret Šabataja Sevija štampan u Amsterdamu, 1669. godine

identitet ovog mesta sećanja. Poslednje godine svog života, sve do smrti 1676. godine, Šabataj je proveo u Ulcinju, ili Ulkumu, kako glasi ime ovog grada na turskom.[12] Turbe koje se vezuje za njegovo grobno mesto, kao i njegova rezidencija na gornjem spratu kule Balšića u Starom gradu, od tad su delovali kao hodočasnička odredišta i kultna mesta izuzetnog značaja ne samo u ovom gradu, već i na širem području Balkana i mediteranskog sveta, naročito među njegovim jevrejskim, sefardskim, sledbenicima, „*Ma'aminim*" i Donme,[13] koji su, ugledajući se na njega i sledeći njegov mesijanski put, prešli u islam.

Novi jevrejski mesija, prvi koji je posle Isusa okupio veliki broj vernika i sledbenika širom ne samo mediteranskog sveta, objavio je svoj mesijanski identitet u Izmiru u jesen 1665. godine. Kontekst njegovog projavljivanja kao mesije i širenja njegovog učenja kako u Osmanskom carstvu tako i na zapadu Evrope, uz ostale istorijske okolnosti, kreće se od masakra poljskih Jevreja 1648—1649. pod Bogdanom Hlemintskim, preko razvijenog jevrejskog, ali i zapadnoevropskog, naročito engleskog, mileranizma u XVI i XVII veku, hrišćanskog interesovanja za judaizam i kabalu, do konteksta zajedničkih milenarističkih očekivanja Jevreja, hrišćana i muslimana

[12] O poslednjoj etapi u životu Šabataja Sevija vid. G. Scholem, *Sabbatai Sevi, The Mystical Messiah, 1626—1676*, 882—929; C. Sisman, *The Burden of Silence. Sabbatai Sevi and the Evolution of the Ottoman-Turkish Dönmes*, 105—115.

[13] C. Sisman, *The Burden of Silence. Sabbatai Sevi and the Evolution of the Ottoman-Turkish Dönmes*, 115; G. Hadar, "*Sazanikos* and the Serpent within the Tree: Innovations in the Study of Common Concepts in the Research of Shabbateanism", *El Prezente* 10, 2016, 215—236, posebno 225, gde se pominje hodočašće porodice Hizikija u Ulcinj i preuzimanje motiva zmije u drvetu kiparisa koji se nalazi na jednoj od niša Šabatajeve odaje u Balšića kuli kao markera njihovog šabatajskog identiteta (o simbolici ovih motiva vid. gore). Za moguću drugačiju ubikaciju Šabatajevog groba, u Albaniji, vid. C. Sisman, *The Burden of Silence. Sabbatai Sevi and the Evolution of the Ottoman-Turkish Dönmes*, 115; M. Korkuti, "Towards a Solution of a Hypothesis: In Light of Albanian Toponymical and Anthroponomical Data", *El Prezente* 10, 2016, 115—122.

Osmanskog carstva.[14] Uz ove razloge treba u obzir uzeti i mogući uticaj koji je na Šabataja Sevija imao mesijanizam „konversosa", kripto-Jevreja iz Španije koji su pod pritiskom katoličke crkve i španskih vladara, još od kraja XIV veka prisilno prelazili u hrišćanstvo. Kasnije se, naročito u egzilu, posle 1492. godine, vraćaju veri svojih predaka koju su u međuvremenu tajno ispovedali.[15]

Glavni centri jevrejskog učenja ranog modernog doba na osmanskom Mediteranu i Balkanu, ali i na zapadu i severu Evrope, gradovi poput Izmira, Soluna, Safeda, Gaze, Livorna, Ankone, Venecije, Amsterdama i Hamburga, u kojima su se razvijale ideje iz kojih je proizašlo mesijanstvo Šabataja Sevija, bili su povezani mrežama porodičnih, poslovnih i rabinskih veza. Sledbenici Šabataja Sevija poticali su iz različitih sredina i pripadali različitim jevrejskim zajednicama raštrkanim širom mediteranskog i istočnoevropskog sveta, sve do onih na obalama Baltika i Severnog mora. To su bile uglavnom sefardske zajednice u kojima je bilo i konversosa.[16]

Nastojanje da se sefardska migracija iz Španije u Osmansko carstvo, sa Pirinejskog na Balkansko poluostrvo, posmatra u trijumfalnom kontekstu, vezana je za tekstove jevrejskih hronika iz XV i XVI veka. Jedno od najuticajnijih dela koje je promovisalo sliku o osmanskom prihvatanju sefardskih izbeglica je hronika Elijaha Kapsalija (1483—1555). Prema njegovim tvrdnjama, uspon osmanske dinastije i Osmanskog carstva i stvaranje nove teritorije na kojoj se nastanjuju Jevreji baš u trenutku njihovog progona iz Zapadne Evrope, dokazi su stalnog staranja Boga o Izrailju i samilosti prema izabranom narodu.[17] Opisi i iskazi u hronikama koji su uticali na stvaranje slike o Osmanskom carstvu kao utočištu za ugrožene Sefarde, bili su neraskidivo povezani sa ličnim iskustvima i svetonazorom njihovih autora, naročito sa religijskim stavovima. Isak Abravanel (1437—1508), jedan od vodećih intelektualaca jevrejske zajednice

[14] C. Sisman, *The Burden of Silence. Sabbatai Sevi and the Evolution of the Ottoman-Turkish Dönmes*, 13—16.

[15] J. Barnai, "Christian Messianism and the Portuguese Marranos: The Emergence of Sabbateanism in Smyrna", *Jewish History* 7/2, 1993, 119—126.

[16] *The Mediterranean and the Jews. Society, Culture and Economy in Early Modern Times*, ur. E. Horowitz, M. Orfali, Bar-Ilan University Press, Ramat Gan 2002; J. Ray, "Iberian Jewry between West and East in the Sixteenth-Century Mediterranean", *Mediterranean Studies* 18, 2009, 44—65.

[17] J. Ray, "Iberian Jewry between West and East in the Sixteenth-Century Mediterranean", 48; K. E. Flemming, "Two Rabbinic Views of Ottoman Mediterranean Ascendency", u: *A Faithful Sea*, ur. A. Hussein, K. E. Flemming, Oxford 2007, 99—120.

u egzilu, zabeležio je da su i iberijski Jevreji i konversosi odlazili prema Zemlji Izrailjevoj kao čin pokazivanja svoje vere u posvećenosti judaizmu. To religiozno nadahnuće njihove migracije služilo je jednovremeno i kao dokaz jevrejskog identiteta konversosa koji su, kako je tvrdio, najviše želeli da pobegnu iz Iberije i da se vrate svom životu pobožnih Jevreja.[18]

Uprkos papskoj politici koja je bila usmerena ka ograničavanju jevrejskog naseljavanja i kretanja na čitavoj teritoriji Apeninskog poluostrva, novo stanje stvari vezano za rastuću ugroženost života i trgovine Jevreja u Osmanskom carstvu, nastalo je već tokom XVI veka, a naročito od njegovog kraja i u narednim stolećima. Ovo je ishodovalo migracijom u obrnutom smeru, istok—zapad, o čemu kao primer može da se navede slučaj rabina Josefa Parda koji je napustio Solun da bi posao tražio u Veneciji i konačno u Amsterdamu, što je dovelo do izdavanja dozvola za naseljavanje Jevreja u mnogim gradovima i do izdavanja privilegija.[19] Sredinom XVI veka Francuska je izdala zvanični poziv portugalskim jevrejskim trgovcima, zanemarujući njihovu versku pripadnost i religijsku praksu. U Francuskoj, kao i u Italiji i Nizozemskoj, neprekidni priliv nekadašnjih konversosa koji su se vratili jevrejskoj veri uvećao je broj tzv. zapadnih Sefarda. Oni su uspostavili žive trgovinske mreže čiji su bogatstvo i uticaj zasenili one manje mreže trgovaca sa Mediterana i iz Osmanskog carstva. Ispočetka, dve polovine sefardskog sveta održavale su međusobne veze, a kako je rasla moć jevrejskih trgovaca iz Amsterdama, Venecije i Livorna, njima su počeli da pristižu izaslanici iz osmanskih zajednica koje su tražile finansijsku podršku.[20]

Umesto da samo potvrđuje starije koncepte podeljenosti između hrišćanstva i islama u rano moderno doba, jevrejsko iskustvo XVI veka podržava novije teorije o regionalnoj koheziji u različitim delovima mediteranskog sveta. Moli Grin se zalaže za argument da je pre velikih intervencija evropskih država na istočnom Mediteranu u XVII veku činjenično stanje govorilo u prilog tome da su hrišćanske države, poput Venecije, uspevale u održavanju uravnoteženog odnosa sa Osmanskim carstvom i da su ti odnosi funkcionisali uprkos razlikama u veri.[21] U

---

[18] J. Ray, "Iberian Jewry between West and East in the Sixteenth-Century Mediterranean", 49.

[19] Isto, 53—54.

[20] Isto, 54.

[21] M. Green, *A Shared World: Christians and Muslims in the Early Modern Mediterranean*, Princeton University Press, Princeton NJ 2000; *The Mediterranean and the Jews. Society, Culture and Economy in Early Modern Times.*

procesu koji je odražavao konvivensiju (*convivencia*) koja je postojala u hrišćanskoj Iberiji tokom poznog srednjeg veka, jevrejski svet XVI veka ustanovio je kulturni identitet na istočnom Mediteranu koji je prevazilazio i nadilazio granice između hrišćanskih i islamskih država.[22] Uprkos uvođenju antijevrejskih mera, od ustanovljavanja sve većeg broja geta do spaljivanja konversosa na lomači, i Jevreji i konversosi su se odlučivali da se nasele u Italiji a istovremeno su funkcionisali kao deo jedinstvene, veoma pokretljive i peripatetične zajednice sa onima koji su živeli pod turskom vlašću.[23]

Najpre je nasilna migracija, preseljavanje Jevreja s jedne na drugu stranu Mediterana, sa zapada na istok, doprinela bližim vezama Jevreja sa obe strane mora, Filozofi, talmudisti, kabalisti i pesnici koji su pripadali različitim intelektualnim krugovima dok su bili na Iberijskom poluostrvu, upoznali su se u egzilu, a zbližili su se i sa jevrejskim autorima i misliocima, uglednim ličnostima religijskog života koje su zatekli u oblastima u kojima su se po egzilu nastanili. Seleći se na istok, u Osmansko carstvo doneli su sa zapada štamparski zanat i zainteresovanost za štampanje knjiga.[24] Važne veze i mreže nastale su i između italijanskih i osmanskih rabina, bez obzira na žive i burne rasprave koje su među njima plamtele, ali su tako prevazilazili sve političke granice.

Postepena migracija Sefarda preko Mediterana u rano moderno doba govori o tome da nisu svi odmah zadobili zaštitu i privilegiju u Osmanskom carstvu. Tek u drugoj deceniji XVI veka većina sefardske populacije preselila se sa Iberijskog poluostrva na istočni Mediteran i Balkan. Pre toga, sefardski centri su bili i dalje u Iberiji i na severu Afrike. Oni koji su se naselili na istočnom Mediteranu imali su stalne i čvrste veze sa ostatkom jevrejske populacije u širem mediteranskom području i dalje u zemljama na zapadu i severu Evrope, i lako su se kretali između hrišćanskih i islamskih zemalja u kojima su živeli i trgovali. Sefardski trgovci i intelektualci su uprkos

[22] J. Ray, "Iberian Jewry between West and East in the Sixteenth-Century Mediterranean", 55. O suživotu i kroskulturalnoj komunikaciji hrišćanskih, islamskih i jevrejskih zajednica na Iberijskom poluostrvu vid. *Convivencia and Medieval Spain. Essays in Honor of Thomas F. Glick*, ur. M. T. Abate, Palgrave 2018.

[23] J. Ray, "Iberian Jewry between West and East in the Sixteenth-Century Mediterranean", 56.

[24] J. Ray, "Iberian Jewry between West and East in the Sixteenth-Century Mediterranean", 61; A. Ya'ari, *Hebrew Printing in Constantinople* (na hebrejskom), Jerusalem 1967; B. Ravid, "Contra Judaeos Seventeenth-Century Italy: Two Responses to the Discorso of Simone Luzzatto by Melchiore Palonrotti and Giulio Morosini", *Association for Jewish Studies Review* 7—8, 1982—1983, 328—348.

strogim antijevrejskim merama i zabranama nastavljali da žive i razvijaju u znatnom broju italijanskih gradova, u velikoj meri upravo zahvaljujući vezama koje su imali sa sunarodnicima u muslimanskim državama. Sefardske zajednice na severu Afrike tokom XVI veka zadržale su kulturne i ekonomske veze sa hrišćanskom Iberijom, a tek krajem veka te veze su zamenile one sa sefardskim centrom u Amsterdamu.[25]

Zlatno doba XVI veka smenio je period neizvesnosti i osećaj opadanja za Jevreje u Osmanskom carstvu. Bio je uslovljen, između ostalog, i gubitkom povlašćenog statusa, monopola u tekstilnoj industriji i proizvodnji vune sa centrima u Solunu, to jest sa ulaskom engleskih trgovačkih preduzeća i osnivanjem njihovih predstavništava u gradovima kao što su Izmir i drugi; progonima i stradanjima Jevreja u Carstvu, poljsko-turskim ratovima i prodajom Jevreja u roblje, gorčinom ispunjenim odnosom Muslimana i Jevreja, o čemu svedoče osmanski izvori. Sve je to doprinelo osećaju da je došlo vreme za „drugo carstvo", kao i prijemčivost utehe mesijanske objave koju je ponudio Šabataj Sevi.[26]

2. Šabataj Sevi u Ulcinju

Šabataj Sevi rođen je u Izmiru (Smirni) 1626. godine, u subotu, na *tiša b'av* (Slika 4). Deca rođena na šabat često su dobijala ime Saturnovog dana. Njegova porodica bila je romaniotskog porekla, iz oblasti Mani na Peloponezu, a otac Mordekai je u Izmiru, nakon venecijansko-turskog rata, bio predstavnik jednoj engleskog trgovačkog preduzeća. Prema kabalističkom tumačenju, koje je Šabataj pomno proučavao, a negovao ga je i njegov sledbenik i prorok Natan iz Gaze, već su i datum njegovog rođenja po jevrejskom kalendaru (*tiša b'av*, 9. dan meseca Av) i dan u nedelji (subota, šabat) ukazivali na sasvim poseban životni put, tj. na njegovu mesijansku prirodu. Na *tiša b'av* obeležava se sećanje na rušenje oba jevrejska jerusalimska hrama. Istovremeno, to je i datum predodređen za rođenje mesije.[27]

[25] J. Ray, "Iberian Jewry between West and East in the Sixteenth-Century Mediterranean", 65.

[26] C. Sisman, *The Burden of Silence. Sabbatai Sevi and the Evolution of the Ottoman-Turkish Dönmes*, 34—36.

[27] O životnom putu Šabataja Sevija vid. G. Scholem, *Sabbatai Sevi, The Mystical Messiah, 1626—1676*; C. Sisman, *The Burden of Silence. Sabbatai Sevi and the Evolution of the Ottoman-Turkish Dönmes*, 38—114, sa literaturom i izvorima; M. Goldish, "Sabbatai Zevi and the Sabbatean Movement", u: *The Cambridge History of Judaism, Vol. VII: The Early Modern World 1500—1815*, ur. J. Karp, A. Sutcliffe, Cambridge University Press, Cambridge 2018, 491—521, sa opsežnom prethodnom literaturom.

Slika 4. Cortijo de Sevi, obnovljena rodna kuća Šabataja Sevija u Izmiru

Šabataj je u Izmiru učio kod rabina Josefa Eskape. Iako romaniotskog porekla, on je postao sefardski haham, tako da su njegova kasnija mesijanska delatnost i sledbeništvo posebno bili vezani za sefardske zajednice mediteranskog sveta, naročito one na Balkanu. Uporedo sa izučavanjem Talmuda i halahičkih propisa, što ga nije istinski zaokupljalo, bio je zadivljen kabalom i učenjem Isaka Lurije. Posebno ga je privlačila praktična primena kabale, tj. asketska praksa putem koje su njeni sledbenici tvrdili da mogu da opšte sa višnjim sferama, anđelima i samim Bogom, te da predskazuju budućnost i čine čuda. Godine 1648, koja je prema nekim tumačenjima Zohara, osnovnog kabalističkog štiva, bila predodređena za godinu iskupljenja Izrailja i pojavu dugoočekivanog jevrejskog mesije, Šabataj je grupi svojih sledbenika u Izmiru počeo da objavljuje svoju istinsku iskupiteljsku mesijansku misiju. Kako bi dokazao te tvrdnje, počeo je da krši najstrože zabrane u judaizmu, da čini ono što je izričito bilo zabranjivano svima osim prvosvešteniku u jerusalimskom hramu na Jom Kipur, dan pokajanja i iskupljenja, da izgovara tabuisano ime Gospodnje — Tetragramaton. Takvo njegovo ponašanje i odnos prema halahičkim pravilima, što se nastavilo i u potonjim godinama njegove mesijanske misije, uslovili su odluku saveta rabina Izmira da ga 1651. godine proteraju iz grada.[28]

[28] G. Scholem, *Sabbatai Sevi, The Mystical Messiah, 1626—1676*, 103—150.

Nije tačno utvrđeno gde je Šabataj sa učenicima odatle otišao. Zna se da je 1658. godine bio u Carigradu, gde je Abraham Jahini potvrdio njegovu mesijansku prirodu moguće krivotvorenim rukopisom Mudrosti Solomonove koji je navodno najavljivao da će 1626. godine biti rođen mesija kao sin Mordekaja Sevija. Sa ovim dokumentom kao dokazom, Šabataj je prešao u Solun, koji je zauvek ostao jedno od najvećih i najznačajnijih uporišta njegovih sledbenika regrutovanih mahom iz redova sefardskih porodica koje su se u taj grad doselile nakon izgona iz Španije 1492. godine. Njegova dalja putovanja i seobe širom mediteranskog sveta koja su ga vodila i do Atine, Aleksandrije, Kaira i Jerusalima, Izmira i Carigrada, krenula su iz Soluna (Slika 5) nakon što ga je rabinski savet i iz ovog grada proterao pošto je, u činu rušenja halahičkih propisa koje je on doživljavao kao objavu početka mesijanskog vremena, upriličio ritual sopstvenog venčavanja za svitak Tore da bi sebe predstavio kao Ein Sof, što je prema kabalističkom učenju sam Bog u stadijumu pre bilo kakve manifestacije. U Kairu je živeo od 1660. do 1662. godine. Uz pomoć Rafaela Josefa Halabija, bogatog jevrejskog zvaničnika u osmanskoj administraciji u Egiptu, koji je oko sebe okupljao i pomagao siromašne talmudiste i kabaliste, njegove mesijanske težnje dobile su novi zamajac.[29]

Godine 1663. Šabataj se preselio u Jerusalim. Tu je — zahvaljujući, između ostalog, finansijskom obezbeđivanju siromašne jevrejske zajednice kroz podršku koju je našao u Rafaelu Halabiju, pred koga je kao njihov predstavnik otišao u Kairo i time pribavio plaćanje osmanskih poreza — okupio krug sledbenika. U Halabijevoj kući u Kairu je upriličeno i njegovo venčanje sa Sarom, siromašnom devojkom problematične prošlosti, siročetom koje je preživelo masakr Hmijelnickog u Poljskoj i, nakon lutanja po Evropi, uključujući i Amsterdam, obrelo se u Livornu. Sara je u Livornu tvrdila da će postati nevesta jevrejskog mesije koji će se ubrzo pojaviti a Šabataj je, nakon što su vesti iz Livorna stigle do njega u Kairo, tvrdio da mu je nevesta obećana u snu te da je, on budući mesija , ona morala biti devojka koja je živela izvan moralnih zakona i tradicionalnih shvatanja uloge žene.[30]

Na povratku iz Kaira u Jerusalim, Šabataj je na proputovanju kroz Gazu koja je imala značajnu jevrejsku zajednicu, upoznao Natana Benjamina Levija, poznatog od tada kao Natan iz Gaze, Šabatajevog samoproklamovanog vaskrslog proroka Ilije ili Jovana Preteče ovog novog

[29] Isto, 150—175.

[30] Isto, 177—198.

jevrejskog mesije. Godine 1665. Šabatajev prorok Natan obznanio je da će mesijansko doba početi naredne, 1666, godine, te da će mesija povesti deset izgubljenih plemena Izrailja nazad u Svetu zemlju. Jerusalimski rabini gledali su sa velikim podozrenjem na ova dešavanja i na formiranje sve većeg kruga sledbenika novog harizmatskog jevrejskog mesije i pretili im ekskomunikacijom. Šabataj je tad napustio Jerusalim i prešao u rodnu Smirnu, a Natan objavio da je od tada Gaza, sveti grad ,a ne Jerusalim. U Smirni je u jesen 1666. godine tokom proslave praznika Roš a'Šana, jevrejske nove godine, javno u sinagogi obznanio da je on mesija, uz duvanje u šofar i povike „Živeo naš Car, naš Mesija". Sledbenici su ga nazivali AMIRAH, oslanjajući se na hebrejski akronim izraza „Naš Gospod i Car, nek je uzvišena slava njegova" (*Adoneinu Malkeinu Yarum Hodo*). Sledeće godine Šabataj je stigao u Carigrad a Natan iz Gaze je već bio prorokovao da će, kada bude stigao u prestonicu staviti na glavu sultansku krunu.[31]

Po dolasku u prestonicu Osmanskog carstva Šabataj je uhapšen. Kao zatočenik je, doduše uživajući u prilično raskošnom životu, čak i u pritvoru, zahvaljujući velikim prilozima svojih sledbenika, proveo više meseci u tamnicama Carigrada, Abidosa kod Galipolja i Jedrena. Sve vreme se ponašao u skladu sa mesijanskim zadatkom da obnovi sve ono što je prethodno zakonima bilo zabranjeno. Tako je u Abidosu pripremio i pojeo pashalno jagnje zajedno sa mašću, što je predstavljalo otvoreno kršenje jevrejskih halahičkih propisa. Uprkos zatočeništvu, a možda upravo zbog toga, mesijanska očekivanja u jevrejskim zajednicama ne samo u Osmanskom carstvu već i u zapadnoevropskim zemljama bila su u porastu. U Hamburgu je uvedena praksa čitanja molitve za Šabataja ne samo na šabat, već i ponedeljkom i četvrtkom, a njegove slike štampane su u molitvenicima uz cara Davida, praćene kabalističkim formulama i okajavanjima grehova.[32]

Budući da je, iako zatočen, predstavljao pretnju po uticaj sultana Mehmeda IV, te da je rivalski mesijanski prorok Nehemija ha Koen iz Poljske nakon razgovora sa njim u zatvoru u Abidosu saopštio sultanu njegove pretenzije, prethodno prešavši u islam, osmanski vladar mu je konačno, u Jedrenu, uputio preko svog vezira tri predloga. Trebalo je

[31] G. Scholem, *Sabbatai Sevi, The Mystical Messiah*, 199—325; C. Sisman, *The Burden of Silence. Sabbatai Sevi and the Evolution of the Ottoman-Turkish Dönmes*, 38—43.

[32] G. Scholem, *Sabbatai Sevi, The Mystical Messiah*, 433—459; C. Sisman, *The Burden of Silence. Sabbatai Sevi and the Evolution of the Ottoman-Turkish Dönmes*, 55—67 .

da dokaže svoju mesijansku prirodu tako što će preživeti kišu strela odapetih u njegovo telo, biti nabijen na kolac i preživeti ili preći na islamsku veru. Pravdajući svoje preobraćenje kabalističkim principima spuštanja do najnižeg radi isceljenja sveta (tikkun), radi isceljenja kelipota, Šabataj je u septembru 1666. stavio na glavu turski turban. Sultan mu je u znak zadovoljstva ovim činom dao titulu (Mehmed) efendi i veliku platu za zvanje kapičibaše (čuvara vrata). Njegova žena Sara i gotovo tri stotine porodica njegovih sledbenika među sefardskim Jevrejima sledili su put svog mesije i takođe prešli u islam postajući tako prvi donme.[33]

Nakon preobraćenja u novu veru, Šabataj je oscilirao između svog novog islamskog i izvornog jevrejskog identiteta. U Izmir je pisao sledbenicima da je prelaskom u islam izvršio volju Božiju te da je na putu isceljenja sveta, kabalističkog koncepta *tikkun ha olam*. Među njegovim sledbenicima bilo je i onih koji su ostali verni jevrejskoj veri pa, čak i nakon njegovog preobraćenja, a zapravo upravo iz tog razloga, i dalje verovali u njega kao mesiju. Jedan od njih bio je prorok Natan iz Gaze, koji ga je nadživeo i bio sahranjen kod Skoplja.[34] Šabataj je održavao veze sa jevrejskim zajednicama u Osmanskom carstvu, čak je i kao islamski konvertit propovedao u sinagogama, a sultana je uveravao da mu je cilj konverzija većeg broja Jevreja u islam. S druge strane, njegovi sledbenici su tvrdili da činom preobraćenja namerava da muslimane prevede u jevrejsku veru, i o tim njegovim nastojanjima objavili su knjigu. Određeni broj muslimana se zaista približio njegovim kabalističkim stavovima. Neki od donme su i dalje držali stare jevrejske običaje, a istovremeno ispovedali novu veru — islam.[35]

Pošto su osmanske vlasti otkrile da je u Carigradu pevao psalme sa članovima jevrejske zajednice, Šabataj odnosno Azis Mehmed Efendija, bio je proteran u Ulcinj. Odatle je i dalje održavao vezu sa jevrejskim zajednicama, na primer sa onom u Beratu u Albaniji kojoj je pisao

[33] G. Scholem, *Sabbatai Sevi, The Mystical Messiah*, 668—686; C. Sisman, *The Burden of Silence. Sabbatai Sevi and the Evolution of the Ottoman-Turkish Dönmes*, 75—82.

[34] C. Sisman, *The Burden of Silence. Sabbatai Sevi and the Evolution of the Ottoman-Turkish Dönmes*, 83—115. O grobu Natana iz Gaze kod Skoplja vid. S. Smolčić Makuljević, "Nathan of Gaza, Shabbetai Prophet and His Lost Skopje Grave", *El Prezente* 10, 2016, 191—213.

[35] C. Sisman, *The Burden of Silence. Sabbatai Sevi and the Evolution of the Ottoman-Turkish Dönmes*, 116—144. Vid. takođe G. Scholem, "The crypto-Jewish sect of Donmeh", u: G. Scholem, *The Messianic Idea in Judaism and Other Essays on Jewish Spirituality*, Schocken Books, New York 1971, 147—166.

moleći da mu se pošalju knjige. Umro je na Jom Kipur, 17. septembra 1676. godine. Dva mesta na Balkanu tvrde da čuvaju grob jevrejskog mesije iz XVII veka — Berat u Albaniji i Ulcinj u Crnoj Gori.[36] Prema svedočenju članova porodice Manić iz Ulcinja, koji tvrde da su potomci jevrejskog mesije, njegov pravi grob nalazi se u turbetu koje je smešteno na njihovom porodičnom posedu u ovom gradu.[37] Donme iz Soluna, gde je od kraja XVII veka postojala najveća donme zajednica u Osmanskom carstvu podeljena na porodice Jakubi, Karakaš i Kapandži, odlazili su na hodočašće na njegov grob u Ulcinju sve do početka XX veka.[38]

Slojevi identiteta šabatajskih vernika, njihovo jevrejsko, moguće i *konverso* poreklo, i prihvaćeni novi islamski identitet, inherentna multilingvalnost, polisemija i poliglosija njihove kulture, jasno se prenose i iščitavaju iz primera vizuelne kulture vezanih za šabatajce, tj. donme i ma'aminim, koji su se sačuvali na Balkanu. Jedan od najvažnijih, moglo bi se reći paradigmatični primer, koji po sebi postaje model upravo zato što je vezan za samog mesiju, nalazi se u Ulcinju, u kuli Citadele Starog grada. Istraživanja koja je obavio Arheološki institut iz Beograda ukazuju na to da je kula podignuta uz južni zid Citadele vremenom izgradnje vezana za srednjovekovni period. Nakon tog vremena, više puta je obnavljana, i u venecijansko i u osmansko doba. O tome svedoče različiti materijali upotrebljeni u izgradnji kao i različite graditeljske tehnike koje su primenjene, a jasno se vide u teksturi zidova kule, te mnoge *spoliae*, pogotovo one iz venecijanskog razdoblja, koje se nalaze u njenim zidovima. Osnova kule je gotovo idealno kvadratnog oblika, a elevacija se sastoji od prizemlja i dva sprata. U unutrašnjost kule se dospeva preko dvoja vrata, jednih koja se otvaraju sa severoistočne strane prizemlja i drugih sa severozapadne. Na ovom, najnižem nivou, sačuvao se deo sferičnog svoda koji je bio podignut u venecijansko ili osmansko vreme kako bi se sprečilo širenje požara na drvenu konstrukciju koja se nalazila na gornjim etažama. Treći nivo kule ima izlaz na odbrambenu šetnu stazu nazubljenih zidina grada.[39]

---

[36] Vid. gore, napomena 13 u ovom poglavlju.

[37] Prema usmenom svedočenju članova porodice Manić na konferenciji posvećenoj Šabataju Seviju u organizaciji Univerziteta Ben Gurion u Negevu održanoj u Ulcinju u julu 2015. godine, čemu je, kao učesnik konferencije, prisustvovao i autor ove studije.

[38] C. Sisman, *The Burden of Silence. Sabbatai Sevi and the Evolution of the Ottoman-Turkish Dönmes*, 130.

[39] Ђ. Бошковић, П. Мијовић, М. Ковачевић, *Улцињ*, 15—17.

Slika 5. Bakrorez Johana Kristofa Vagnera iz 1684. godine sa scenama iz života Šabataja Sevija

Unutar te prostorije na najvišoj etaži kule Balšića u Citadeli ulcinjskog Starog grada, jedna naspram druge, na severozapadnom i jugoistočnom zidu, nalaze se dve niše.[40] Niša na jugoistočnom zidu je završena trolisnim tzv. saracenskim lukom. S obe strane otvora u medaljonima su istovetne šestokrake zvezde, izvedene kao geometrijski motiv tako da je u središtu heksagona obe veće šestokrake zvezde, svaka u po jednom medaljonu koji flankira nišu, po jedna jednostavna šestokraka zvezda ili motiv nastao ukrštanjem tri trake (Slika 6). Niša na severozapadnom zidu je složenije forme. Njen otvor podeljen je na dva dela stupcem, koji polazi iz trostepenog postolja, sa prislonjenom kolonetom u vidu tordiranog stuba ili motiva tordiranog užeta iznad koga je, na centru gornjeg dela okvira niše, stilizovana predstava drveta kiparisa (Slika 7). Isti motiv stilizovanog kiparisa nalazi se sa obe strane otvora ove niše. Unutar forme stilizovane krošnje isklesana je vijugava traka koja bi se mogla tumačiti kao stilizovana predstava zmije.

Ikonografsko tumačenje ovih motiva klesanih na nišama u odaji Šabataja Sevija može se odvijati unutar tri koordinatna sistema: islamske vizuelne kulture koja čini spoljni omotač, jevrejske koja je u jezgru i šabatajske koja leži najdublje skrivena iako se jasno pokazuje. Zvezda i drvo simboli su koji funkcionišu u sva tri kulturna konteksta.

[40] Isto, 17.

Slika 6. Niša u odaji Šabataja Sevija u Balšića kuli u Ulcinju

Slika 7. Niša u odaji Šabataja Sevija u Balšića kuli u Ulcinju

Simbolika zvezde kao *par excellance* solarnog motiva s jedne i drveta s druge strane, iz vizure islamske umetnosti jasno je i nedvosmisleno vezana za Alaha kao izvor svetlosti i života. O tome svedoči sura An Nur (Svijetlost) 24,35 svete knjige Kurana: „Allah je izvor svjetlosti nebesa i Zemlje! Primjer svjetlosti Njegove je udubina u zidu u kojoj je svjetiljka, svjetiljka je u kandilju, a kandilj je kao zvijezda blistava koja se užiže blagoslovljenim drvetom maslinovim, i istočnim i zapadnim, čije ulje gotovo da sija kad ga vatra ne dotakne; sama svjetlost nad svjetlošću! Allah vodi ka svjetlosti Svojoj onoga koga On hoće. Allah navodi primjere ljudima, Allah sve dobro zna". Osim maslinovog drveta u Kuranu se pominju još tri druge vrste drveta, svaka sa posebnom simbolikom. One se na kraja utapaju u simboliku Drveta blaženstva, blagoslova. Predstave drveća, i svih ostalih biljnih motiva, upućuju na rajske vrtove koji obiluju vodom koja ih hrani. Stoga su česti motivi vaze iz koje drvo niče ili akvatičkih scena i životinja koje ukazuju na blizinu vode. Jedan su od osnovnih motiva u islamskoj umetnosti uopšte. Kad se predstavljaju u niši ispred koje je upaljena svetiljka, tj. ispod predstave luka, kao na molitvenim ćilimima na primer, ukazuju na viziju raja koja se otvara molitvom vernika moleći Alaha da ih usmeri ka raju i da ih vodi stazom pravednika.

Drvo na takvim predstavama, naročito na molitvenim ćilimima, ima i značenje *axis mundi,* kao i usmeravanja molitve ka zidu kible, tj. ka Meki.[41]

U jevrejskom ključu sagledane predstave drveta i zvezde mogu se vezati za rajsku simboliku Drveta života i simboliku Davidove zvezde, tj. Solomonovog čvora. Drvo života je u jevrejskoj tradiciji bilo eshatološki simbol raja. Biblijska simbolika spojena je sa kananitskim kultom Ašerota, drveta koje su patrijarsi posadili u Obećanoj zemlji nakon dolaska iz Mesopotamije. To se ogleda i u biblijskom starozavetnom narativu o svetom gaju i mamvrijskom hrastu pod kojim je Avraam ugostio tri anđela, ili u priči o praocu Jakovu i Sihemu, kao i u popularnom verovanju u Kosmičko drvo koje rađa plodove besmrtnosti. Počevši od Knjige proroka Jezekilja 47,12, do poznije jevrejske apokaliptičke književnosti poput Knjige Enohove, Kosmičko drvo postepeno je poistovećivano sa Drvetom života mesijanskog raja koje će biti zasađeno uz ponovo podignuti Hram u Jerusalimu, tačnije, a uz južni zid budućeg, eshatološkog, mesijanskog Hrama. Time je Kosmičko drvo izjednačeno sa Drvetom života mesijanskog raja.[42]

Motiv heksagrama ili Davidove zvezde, koji od XVII veka počinje da poprima značenje najvažnijeg i najprepoznatljivijeg jevrejskog simbola, apotropaični je simbol istog značenja i izveden iz iste vizuelne formule kao i motiv tzv. Solomonovog čvora ili pečata. Prema apokrifnom tekstu *Testamentum Solomonis,* starozavetnom pseudoepigrafskom spisu iz perioda pozne antike, car Solomon je od arhanđela Mihaila dobio prsten koji mu je omogućio da nadvlada demone koji su ometali podizanje Hrama u Jerusalimu, te da ih uposli i tako uspešno okonča svoj graditeljski poduhvat vođen Božanskom premudrošću. Budući da je pečat na ovom prstenu, *sigillum Solomonis,* bio taj koji je imao magijske i okultne moći, motiv Solomonovog čvora izveden je iz dvostrukog, ukrštenog čvora i slične je vizuelne formule i značenja kao pentagram i heksagram ili Davidova zvezda.[43]

---

[41] N. Ross Reat, "The Tree Symbol in Islam", *Studies in Comparative Religion,* Vol. 19, No. 3, 1975, 1—19; J. Dickie, "The Iconography of the Prayer Rug", *Oriental Art,* Spring, 1972, 41—49.

[42] O simbolici Drveta života u jevrejskoj ikonografiji vid. Z. Ameisenowa, W. F. Mainland, "The Tree of Life in Jewish Iconography", *Journal of the Warburg Institute* 2, 1939, 326—345.

[43] O poreklu i simbolici ovog motiva vid. J. Erdeljan, B. Vranešević, "Eikon and Magic. Solomon's Knot on the Floor Mosaic in Herakleia Lynkestis", *IKON* 9, 2016, 99—108, sa širom literaturom.

S druge strane, Zohar, osnovna knjiga kabale koja je veoma važna za razumevanje Šabatajevog delovanja i načina formiranja i apologeze njegovog mesijanskog identiteta, dalje je razvio simboliku motiva Drveta života i opisao ga kao Drvo svetlosti koje obuhvata sva živa bića, svu tvar. Svojim sjajem to drvo daje večni život svim bićima, traje večno i čisto je od svakog zla. Njegov koren je Ein Sof, Bog sam pre projavljivanja u tvari (Beskonačni, Prevečni Bog, Božanska premudrost) koji se u svetu projavljuje kroz deset sefirota, tj. emanacija Ein Sofa koje čine fizički i metafizički svet. Shema koncepta kabalističkog Drveta života vizuelizuje se kao shema međusobno (granama) povezanih sfera (krugova). Tri prva čisto duhovna sefirota čine koren ovog drveta, a ostalih sedam njegovo stablo, grane, lišće i cvetove. Ovaj motiv funkcioniše u judaizmu kao jedan od arhetipskih motiva večnog života, savršenstva čoveka kao *homo imago dei*, spasenja i iskupljenja, božanskog nauma stvaranja i isceljenja sveta (*tikkun ha olam*).[44]

Šabataj je sebe identifikovao sa Ein Sofom a gematrijska vrednost hebrejske reči mesija jednaka je gematrijskoj vrednosti reči zmija. Prorok Natan iz Gaze je u *Slovu o zmajevima* opisao Šabataja kao moćnu mesijansku ličnost koja ratuje sa zlom: „Sve će se ove stvari otkriti da bi se objavila veličina našeg gospodara (Šabataja Sevija), neka je uzvišena slava njegova, i da bi se poništila moć Zmije koja je ukorenjena u jakim natprirodnim korenima koji ga stalno podstrekuju... Ali u vreme svog prosvetljenja Šabataj Sevi je ponovo pokorio Zmiju... jer se spustio duboko među *kelippot* (sasude u kojima prebiva sve zlo koje treba isceliti)".[45] Rani apokaliptički midraš i gematrija povezuju hebrejsku reč *nahash* (zmija) sa rečju *Mashiakh* (mesija). Drugi kabalistički izvori opisuju mesiju kao svetu zmiju koja će uništiti nečistu zmiju (islam) i pritvornu zmiju (hrišćanstvo).[46] Šabataj se potpisivao u vidu figure koja ima izgled zmije. Uz to, *ilan* na hebrejskom znači drvo a na turskom zmija, što daje dodatno značenje skrivenog identiteta. Zmija u drvetu može ukazivati na mesijanski identitet Šabataja Sevija kako

---

[44] Z. Ameisenowa, W. F. Mainland, "The Tree of Life in Jewish Iconography", 330—331; S. Parpola, "The Assyrian Tree of Life: Tracing the Origins of Jewish Monotheism and Greek Philosophy", *Journal of Near Eastern Studies* 52, 1993, 161—208, o stablu sefirota posebno 169—176.

[45] R. Patai, *The Messiah Texts. Jewish Legends of Three Thousand Years*, Wayne State University Press, Detroit 1988, 33—34.

[46] I. Tishby, *Messianic Mysticism. Moses Hayim Luzzatto and the Padua School*, Littman Library of Jewish Civilization, Liverpool University Press 2008, 236.

Slika 8. Jilan mermeri u Solunu

zbog homonimije ove dve reči na turskom i hebrejskom tako i zbog shvatanja uloge Šabataja kao svete zmije koja treba da se spusti do samog dna rasutih varnica kabalističke svetlosti Ein Sofa i drveta života, u samo dno svega stvorenog, u zle *kelipot*, kako bi omogućio isceljenje sveta (*tikkun ha olam*) i njegovo ponovno stvaranje od Shekinah. Šabataj se time poistovećuje sa dobrom zmijom koja omogućava porod košuti, što je alegorija ponovnog stvaranja, tj. kabalističkog isceljenja sveta od strane Božanske sile, Shekinah. O identifikaciji Šabataja sa drvetom i zmijom, i njihovom interakcijom na oba jezika šabatajskog identiteta, svedoči i lokacija mahale u kojoj su u Solunu stanovali donme iz Jakubi klana, naseljeni oko tzv. Jilan mermeri (Yilan Mermeri) (Slika 8), ranovizatijskog mermernog postolja na kojem je prvobitno stajala figura cara, spomenika koji je, prema verovanjima iz osmanskog vremena, bio stanište htonskog demona u vidu zmije.[47]

3. Vizuelna svedočanstva o šabatajskoj zajednici u Nišu

Koliko je identifikacija sa drvetom života (sefirota) i zmijom bila rasprostranjena u šabatajskoj zajednici, moguće čak i u neposrednoj vezi sa razmatranim predstavama iz lične odaje novog mesije u Ulcinju, svedoče i spomenici sa starog jevrejskog groblja u Nišu. Jedino preživelo jevrejsko groblje u Nišu koje se nalazi u severozapadnom delu savremenog grada, na lokalitetu Stočna pijaca, danas je pod zaštitom države, ali je i dalje ugroženo (Slika 9). Ipak, uprkos ugroženosti i stalnoj izloženosti mogućem daljem propadanju, prvobitni raspored nadgrobnih spomenika, organizovanih u više paralelnih redova, još uvek je vidljiv na jednom delu lokaliteta. Ovo je poslednje od tri jevrejska groblja koja su postojala u ovom gradu, važnoj raskrsnici Jugoistočne Evrope sa nekada vrlo razvijenom jevrejskom zajednicom. Druga dva groblja, trajno

---

[47] G. Hadar, „*Sazanikos* and the Serpent within the Tree: Innovations in the Study of Common Concepts in the Research of Shabbateanism", 226.

Slika 9. Staro jevrejsko groblje u Nišu

izgubljena, nalazila su se u neposrednoj blizini jevrejske četvrti ili mahale i u blizini Crkve Svetog Pantelejmona.[48]

Na osnovu tipološkog i stilskog poređenja sa sefardskim jevrejskim spomenicima sa teritorije Osmanskog carstva, većina nadgrobnika koji se danas mogu videti na lokalitetu Stočna pijaca u Nišu mogu okvirno biti datovani u period od XVII do XX veka. Najveći broj spomenika pripada anepigrafskom tipu i oni se i prema tim svojstvima, kao i prema položaju u okviru lokaliteta, budući da se nalaze u samom jezgru starog jevrejskog groblja, mogu datovati u XVII i XVIII vek. Ostali grobni belezi pripadaju drugoj tipološkoj i hronološkoj skupini, malobrojnijoj od prve, a koja, sudeći na osnovu prisutnih natpisa, pripada razdoblju između početka XIX veka i Drugog svetskog rata i Holokausta. Među

[48] O istoriji jevrejske zajednice u Nišu vid. Ž. Lebl, „Jevreji u Nišu", *Jevrejski almanah* 1971—1996, 2000 ,137—152. Vid. такође www.elmundosefarad.eu sa tekstovima J. Ćirić i bibliografijom. O istoriji Jevreja u Jugoistočnoj Evropi vid. M. Rozen, *In the Mediterranean Routes, The Jewish-Spanish Diaspora from the Sixteenth to Eighteenth Centuries* (na hebrejskom), Tel Aviv 1993; E. Benbassa, A. Rodrigue, *The Jews of the Balkans: The Judeo-Spanish Community, 14th to 20th Centuries*, Blackwell Publishers, Oxford, England and Cambridge, Massachusetts 1995; P. F. Sugar, *Southeastern Europe under Ottoman Rule, 1354—1804*, University of Washington Press 1996, 267—270. Vid. takođe J. Тадић, „Из историје Јевреја у југо источној Европи", *Јеврејски алманах* 1959—1960, 29—53.

Slika 10. Staro jevrejsko groblje u Nišu, horizontalna ploča sa sferičnim motivima

Slika 11. Staro jevrejsko groblje u Nišu, horizontalna ploča sa stilizovanom predstavom zmije

Slika 12. Staro jevrejsko groblje u Nišu, ploča sa stilizovanom predstavom Tore

tipovima nadgrobnika na jevrejskom groblju u Nišu prepoznaju se položene ploče, monolitni pseudosarkofazi sa bazom ili bez nje, sarkofazi, kao i manji broj vertikalnih obeležja koji oblikom podsećaju na obeliske. Kao što smo već istakli, najveći broj spomenika, a među njima svi oni koji pripadaju prvoj hronološkoj etapi, pripadaju anepigrafskom tipu i nemaju natpise. Na mlađoj skupini nadgrobnika, iz XIX i prve polovine XX veka, natipisi su na srpskom, često ispisani ćirilicom, i na hebrejskom jeziku. Većina starijih spomenika klesana je od lokalnog peščara, a za one iz XIX i XX veka upotrebljavan je beli mermer.[49]

[49] Detaljno o naporima da se spasu groblje i spomenici na njemu na stranici www.elmundosefarad.eu. Za tipologiju jevrejskih nadgrobnih spomenika sa teritorije Osmanskog carstva vid. osnovnu studiju M. Rozen, *Hasköy Cemetery: Typology of Stones*, Tel Aviv University and The Center for JudaicStudies, University of Pennsylvania, Tel Aviv 1994. Vid. takođe Ista, "A

Repertoar klesanih ukrasa starije grupe nadgrobnika izuzetno je zanimljiv i njegovo detaljnije proučavanje pokreće više važnih pitanja. Na osnovu uvida u danas dostupan spomenički materijal koji leži na delu lokaliteta oslobođenom nanosa otpada, možemo zaključiti da se na starim jevrejskim nadgrobnicima sa lokaliteta Stočna pijaca u Nišu, a koji se okvirno mogu datovati u XVII i XVIII vek, prepoznaju sledeći motivi i predstave: krugovi, od pet do deset u broju, isklesani u vidu fino zaobljenih (hemi)sfera na gornjim površinama horizontalnih ploča (Slika 10); zmija, klesana u stilizovanoj formi na gornjim površinama horizontalnih ploča (Slika 11) i pseudosarkofaga; „uvrnuto uže", klesano na gornjim površinama horizontalnih ploča i pseudosarkofaga; visoko stilizovani motiv koji se može protumačiti kao veoma shematizovana predstava ljudske figure.

Ako bismo u tumačenju navedenih predstava pošli od istorijskih okolnosti nastanka kao i geografske lokacije ovih nadgrobnih spomenika, pomenuti motivi na starim jevrejskim nadgrobnicima iz Niša mogli bi se dovesti u vezu i sagledavati, u jednom sloju svojih moguće višestrukih značenja, i kao način vizuelizacije kabalističkih učenja samoproklamovanog mesije Šabataja Sevija koji je bio aktivan i veoma uticajan na području Jugoistočne Evrope u drugoj polovini XVII veka. S jedne strane, moglo bi se pretpostaviti, iako bez mogućnosti konkretnog potkrepljivanja takvih pretpostavki, a usled nedostatka pisanih dokumenata, da je sledbenika njegovog učenja bilo i u Nišu, pre njegovog prelaska u islam. S druge strane, ne može se potpuno isključiti ni mogućnost da su ovi nadgrobnici mogli biti vezani i za članove kriptojevrejske zajednice, donme. Nju su sačinjavali sledbenici Šabataja Sevija koji su, nakon njegovog preobraćenja 1666. godine prihvatili islam, ali su i dalje bili na sve načine tesno povezani sa jevrejskom zajednicom i sahranjivani na jevrejskom groblju.[50]

Survey of Jewish Cemeteries in Western Turkey", *Jewish Quarterly Review* 83, 1992, 71—125; M. Рајнер, „Јеврејска гробља у Београду", *Јеврејски историјски музеј Београд, Зборник* 6, 1992, 201—215, sa opštim pregledom jevrejskih grobalja i nadgrobnih spomenika XVIII i XIX veka u Evropi, 201—204. O tipologiji i ikonografiji pojedinih spomenika sa starog jevrejskog groblja u Nišu vid. J. Erdeljan, "Jewish funerary monuments from Niš: a comparative analysis of form and iconography", *El Prezente* 4, 2010, 213—232.

[50] G. Scholem, *Sabbatai Sevi, The Mystical Messiah, 1626*—1676, 157—160; Isti, *On the Kabbalah and Its Symbolism*, New York 1969; *Kabbalah of Creation. The Mysticism of Isaac Luria, Founder of Modern Kabbalah*, prevod i komentari E. J. Klein, Berkeley, California 2005.

U svakom slučaju, imajući u vidu već iznetu istoriju zajednice u Nišu, kao i moguće vezivanje za delatnost Šabataja Sevija, kao i tipološke odlike nadgrobnika, pretpostavka je da se najranije moguće datovanje ovih spomenika može opredeliti u kraj XVII ili početak XVIII veka. S obzirom na moguću kontekstualizaciju u krugu Šabatajevih sledbenika, kao i njihovih verovanja, motivi predstavljeni na nadgrobnicima, a naročito krugovi, tj. hemisfere, mogli bi se dovesti u vezu sa kabalističkim idejama, naime, sa idejom i mentalnom slikom deset sefirota i Drveta života. U jevrejskoj folklornoj tradiciji, motiv Drveta života vezuje se i za Levijatana i Mesijansku zver, kao što se može videti i na predmetima jevrejske popularne vizuelne kulture vezane za praznik Sukot. Na primer ukrasima senica isečenih od papira gde se astrološki i kosmološki motivi prepliću sa mesijanskim. Drvo života je tu predstavljeno kako spaja zemlju i nebo na kojem je zmija koja grize svoj rep — motiv ureoborosa, otelovljenje Levijatana, a njoj su priključeni i znaci Zodijaka.[51] Ovakvo spajanje motiva zmije, kao Levijatana, i Drveta života uvodi nas i u razmatranje mogućeg značenja predstave zmije na jevrejskim nadgrobnicima iz Niša. U kom kontekstu treba sagledavati ovaj motiv i da li ga treba razumeti kao znak dobra ili zla? U staroj jevrejskoj kulturi zmija, predstavljena u vidu guje ili zmaja, bila je moćan ambivalentan simbol kako demonskog tako i mesijanskog.[52]

Čak i kao simbol zla, sa stanovišta Zohara i ideje koja je kasnije razvijena u šabatajskom učenju na osnovu ideja Isaka Lurije, ona je mogla biti tumačena i kao simbol pada koji vodi ka uzdizanju. Naime, da bi se doseglo ljudsko savršenstvo, pre dosezanja svetosti, tj. ulaska u carstvo sefirota, neophodno je spustiti se do dubina nesavršenog, nesvetog. Zmija je stoga mogla biti znak obuzdavanja onostranog, Druge strane, Leve strane, ali ne putem njenog odstranjivanja, već

[51] Z. Ameisenowa, W. F. Mainland, "The Tree of Life in Jewish Iconography", 344—345. O mesijanskim zverima i načinu njihovog predstavljanja u jevrejskoj umetnosti vid. J. Gutmann, "When the Kingdom Comes, Messianic Themes in Medieval Jewish Art", *Art Journal* 27, 1967—1968, 168—175; Isto, "Leviathan, Behemot and Ziz: Jewish Messianic Symbols in Art", *Hebrew Union College Annual* 39, 1968, 219—230. Up. takođe L. Drewer, "Leviathan, Behemot and Ziz: A Christian Adaptation", *Journal of the Warburg and Courtauld Institutes* 44, 1981, 148—156.

[52] R. Adelman, *The Poetics of Time and Space in the Midrashic Narrative — The Case of Pirkei de Rabbi Eliezer*, Ph. D. dissertation, Hebrew University 2008, 124—137, 164—240. Vid. takođe M. M. Epstein, "The Elephant and the Law: The Medieval Jewish Minority Adapts a Christian Motif", *The Art Bulletin* 76, 1994, 465—478, posebno 474; E. R. Wolfson, "Light Through Darkness: The Ideal of Human Perfection in the Zohar", *The Harvard Theological Review* 81, 1988, 73—95, posebno 84—87.

reintegracijom demonske energije u božanski izvor.[53] Druga moguća tumačenja zmije nalaze se u rabinskoj literaturi sa izraženim elementima folklornog.[54] Pozitivna konotacija zmije prepoznaje se u motivu zmije pomoćnice, kao i u pričama o zmijama-mostovima koje pomažu ljudima. Budući da je motiv užeta sličan po formi samoj zmiji, kao i načinu na koji se stilizovano prikazuje, stari mostovi od užadi bili su povod nastanku mnogih narodnih pripovesti o zmijama koje su se pretvarale u mostove, takoreći u neku vrstu horizontalno postavljenih Jakovljevih lestvi sa drvenim pragovima, čime bi, zapravo, zmije-užad bile te koje bi spajale i sjedinjavale zemlju i nebo.[55] Kućna zmija kao čuvar kuća i doma, nekad i doslovno u vidu reze na vratima, predstavlja još jedno pozitivno viđenje zmije kao otelovljenja ili reinkarnacije preminulih predaka koji naseljavaju kuću u vidu bezopasnih zmija.[56] Takve ideje i verovanja lako su mogli naći put ka vizuelizaciji na nadgrobnicima poput onih iz Niša na kojima se mogu uočiti i motiv zmije i motiv užeta. Posebno važan vid simbolike i shvatanja zmije u jevrejskoj tradiciji, značajan za temu ovog rada, jeste veza između zmije i besmrtnosti i veza zmije i umrlih, mrtvih, pokojnika.[57]

Kad je u pitanju veza između zmije i besmrtnosti, moramo najpre uzeti u razmatranje dva činioca, aktera priče o Edenskom vrtu — zmiju i Drvo života. U *Epu o Gilgamešu* i drugim starim bliskoistočnim mitologijama koje su utkane u jevrejsko predanje i biblijske priče, zmija je ta koja krade drvo besmrtnosti ili je pak njegov čuvar, ona je spoznala njegove tajne moći i ima sposobnosti da ih primeni. Zmija je, stoga, besmrtna, a jedan od razloga ljudske smrtnosti leži upravo u tome što čovek, za razliku od zmije, svoju kožu ne može da svuče. U rabinskoj književnosti postoji posebno zanimljiva priča vezana za zmijin svlak. Ona se vezuje za legendu o odeći kojom je Gospod ogrnuo Adama i Evu nakon prvog greha. Ta odeća je, prema rabinskoj književnosti, bila napravljena od zmijinog svlaka ili, alternativno, od kože Levijatana. Na taj način, iako je izgubio besmrtnost, čovek je, budući zaodeven u zmijin svlak, dobio novi život zahvaljujući zmijskoj koži koja je simbol

[53] E. R. Wolfson, "Light Through Darkness: The Ideal of Human Perfection in the Zohar", 84—87.

[54] S. T. Lachs, "Serpent Folklore in Rabbinic Literature", *Jewish Social Studies* 27, 1965, 168—184.

[55] Isto, 172—174.

[56] Isto, 174—175.

[57] Isto, 176—179.

obnavljanja i ponovnog rađanja. Uz ovu rabinsku legendu o poreklu odeće Adama i Eve, postoje i druga pozivanja na zmijinu kožu koja služi kao izvor besmrtnosti onima koji sa njom dolaze u dodir. Veruje se, tako, da će šatori pravednika u eshatološkom vremenu biti načinjeni od kože Levijatana, s tim što se ne može tačno razaznati da li je reč o ovoj mesijanskoj zveri kao zmiji ili zmaju, budući da se oba termina naizmenično koriste.[58]

S druge strane, zmija je mogla imati i izrazito negativne konotacije vezane za smrt i pokojnike. Iako se u predanjima mnogih naroda ideja o zmiji kao simbolu besmrtnosti vezuje za verovanje da je ona zapravo reinkarnacija pretka zaštitnika, u jevrejskoj kulturi ideja o reinkarnaciji u vidu zmije temeljno je modifikovana. Smatra se kaznom pre nego nagradom kad bi se ko javio u vidu zmije. Samo su nedostojni mogli biti na taj način uniženi. Stoga, u Palestinskom talmudu nalazimo tvrdnju da zmije nastaju od kičmenog stuba ljudskog tela koje se nije klanjalo tokom molitve. Štaviše, u ovakvom preobražaju nema ni govora o vaskrsavanju, ponovnom rođenju. U Zoharu se navodi da Valaam nije bio sahranjen, već da je njegovo telo ostavljeno da trune, te da je od takvih kostiju nastalo više vrsta otrovnih zmija koje donose nesreću ljudskom rodu, da su čak i crvi koji su izjedali to telo postali zmije.[59] Gotovo je nemoguće da motiv zmije sa nadgrobnika na starom jevrejskom groblju u Nišu možemo tumačiti u ovakvom, negativnom kontekstu. Postavlja se pitanje kako bi negativno doživljavani članovi zajednice mogli biti sahranjeni neposredno uz one čiji nadgrobnici nose motive Drveta života i sefirota, kojima je vizuelizovana ideja kosmičkog savršenstva i uzdanja u spasenje.

Posebno zanimljiva za moguće tumačenje u šabatajskom kontekstu među nadgrobnicima na starom jevrejskom groblju u Nišu je jedna horizontalna ploča sa klesanom predstavom koja se može tumačiti na više načina (Slika 12). Najopštije govoreći, na prvi pogled, motiv klesan u plitkom reljefu na površini ove horizontalne ploče mogao bi se definisati kao shematski predstavljena i visokostilizovana ljudska figura ispod koje se nalaze dva klesana diska, kruga. U okviru ove „ljudske figure", na njenom telu, uklesan je motiv cikcak linije koji polazi od „vrata" i spušta se, po sredini, do pojasa. Ovaj pojas čini motiv tordiranog užeta.

[58] Isto, 177—178; R. Adelman, *The Poetics of Time and Space in the Midrashic Narrative — The Case of Pirkei de Rabbi Eliezer*, 124—138.

[59] S. T. Lachs, "Serpent Folklore in Rabbinic Literature", 179.

Na donjem delu figure nalazi se udubljenje u vidu plitko klesanog pentagona koji podseća na oblik niše dok jednovremeno, gledan na drugačiji način, „razdvaja" shematizovane „noge" ove visokostilizovane predstave koja bi se mogla protumačiti i kao antropomorfna.

Istovremeno, čitava ova stilizovana figura mogla bi se sagledati i kao predstava tipičnog sefardskog kovčega u kojem se čuva svitak Tore (*sefer Torah*) ili svitka Tore zaodenutog u *mantel*, tipični sefardski prekrivač, ogrtač od luksuznog materijala, svile, brokata, kadife, često ukrašen zlatovezom. Kao i u drugde u dijaspori, i na Balkanu je spoljni izgled svitka Tore, koji bi se ukazao kad bi se otvorio ormar u kojem su čuvani svici u sinagogi, *aron ha kodesh*, bio odraz i vizuelno svedočanstvo ekonomskog, društvenog i duhovnog stanja sefardske zajednice kojoj je Tora pripadala. Najupečatljivije bi, i već na prvi pogled, o toj zajednici i njenom statusu svedočio materijal pokrova Tore (*mantel*) te je, stoga, bio ono najluksuznije i najskuplje što je zajednica u činu zaodevanja Tore i svojoj samoreprezentaciji mogla da priušti. Budući da je *mantel* imao otvor sa prednje strane, petougaono polje koje u donjem delu predstave u plitkom reljefu, svitka Tore u ovom iščitavanju, moglo bi se protumačiti kao razgrnuti *mantel* a pojas koji ide po sredini kao pojas kojim je u sefardskoj tradiciji bio uvezivan sefer Tora.[60] Uzimajući u obzir da, posebno na Balkanu, nema sačuvanih primeraka sefer Tore niti njenih ritualnih ukrasa i tekstilne opreme mlađih od XIX i XX veka, njihov izgled možemo naslutiti na osnovu predstava sačuvanih u korpusu jevrejske vizuelne kulture nastale na teritoriji Španije pre izgona 1492. godine. Tako na minijaturi iz Barselona hagade iz sredine XIV veka (Britanska biblioteka Ms. Add. 14761, fol. 65v) vidimo predstavu svitka Tore zaodenutog u *mantel*, koji rabin uzdiže u sinagogi, i koji svojim obrisima sasvim odgovara formi predstave klesane na gornjoj površini pomenute horizontalne ploče u Nišu.[61]

Klesana „antropomorfna" predstava na ovoj nadgobnoj ploči sa starog jevrejskog groblja u Nišu sasvim se može poistovetiti sa predstavom sefardskog svitka Tore iz više razloga. Sagledano iz vizure šabatajskog konteksta, u kojem se može tumačiti i većina ostalih, već razmatranih nadgrobnika sa ovog groblja, što dobija sasvim poseban smisao koji se najneposrednije vezuje kako za opštu mesijansku prirodu

[60] B. Yaniv, "From Spain to the Balkans: Textile Torah Scroll Accessories in the Sephardi Communities of the Balkans", *Sefarad* 66, 2006, 407—442.

[61] Isto, 430.

Šabataja Sevija tako i za određene ključne trenutke u njegovom životu. Osim već spomenutog „venčanja" sa svitkom Tore u Solunu, veza između Šabataja i Tore obnarodovana je na jedan sasvim poseban način i u trenutku objave njegove mesijanske prirode u sinagogi u Izmiru 1666. godine. Svedočanstvo o tom događaju nalazim u tekstu knjige *Zaludna očekivanja Jevreja, manifestovana u liku Šabataja Sevija, njihovog poslednjeg lažnog mesije* koju je Tomas Koenen objavio u Amsterdamu 1669. godine.[62] Ovaj holandski evangelistički propovednik bio je svedok događanja u Izmiru, gde je služio u holandskoj trgovačkoj koloniji. Pratio je pomno sva dešavanja vezana za Šabataja Sevija uglavnom zato da bi, ukazujući na zablude jevrejske zajednice, promovisao sopstvene protestantske stavove. Tomas Koenen opisuje trenutak u kojem se Šabataj proglasio za mesiju i naglašava da je „otišao do ormana u kojem je čuvan svitak Tore, uzdigao ga (svitak Tore) u naručje i otpevao pesmu na španskom... Meliselda, Meliselda, careva kćer".

Bio je to čin kojim je novoproklamovani mesija prekršio i liturgijske i sociopolitičke norme sefardske zajednice i time definitivno potvrdio kako ruši stare da bi uspostavio nove zakone, tj. da bi iscelio svet. Pesma *Meliselda* je španska verzija starofrancuske romanse koja potiče još iz karolinškog razdoblja i peva o ljubavi princa i siromašne devojke. Pripada tradiciji usmene, narodne, popularne književnosti na narodnom jeziku Sefarda, judeošpanskom, i stoga spada u „žensku stranu" njihovog kulturnog nasleđa. Judeošpanski narodni jezik bio je najniži po statusu na lingvističkoj lestvici tradicionalne sefardske zajednice. Njoj je aramejski bio jezik najučenije, rabinske elite, koga je sledio hebrejski, kao biblijski i liturgijski jezik dostupan muškarcima koji su čitali u sinagogi, da bi se na dnu našao judeošpanski kao jezik neukih, onih koji nisu išli u sinagogu — žena. Čin pevanja narodne ljubavne pesme, romanse, na „ženskom", narodnom, neliturgijskom jeziku nosio je jasne sociopolitičke poruke i implikacije protiv rabinske elite, a sama pesma, *Meliselda*, zauzimala je centralno mesto u ličnoj teologiji i svetonazoru Šabataja Sevija.

Analiza stihova i mogućnosti njihovog alegorijskog tumačenja koje su mogli dati sam mesija kao i neposredni krug njegovih sledbenika

[62] T. Coenen, *Ydela verwachtinge der Joden getoont in den Pesoon van Sabethai Zevi, haren laesten vremeyden Messias*, Amsterdam 1669. Vid. Eliezer Papo, "'Meliselda' and its Symbolism for Sabbatai Sevi, His Inner Circle and His Later Followers", *Kabbalah. Journal for the Study of Jewish Mystical Texts*, vol. 35, ur. Daniel Abams, Los Angeles 2016, 113—132, posebno 114.

pokazali su da se Šabataj poistovetio sa mesijanskim ženikom mistične Šekine, ženskim principom samog Boga, Božanskim prisustvom i silom koja „rađa" svet. Štaviše, rezultati istraživanja judeošpanskog romansijera, a posebno Šabatajeve omiljene pesme *Meliselda*, koje je objavio Eliezer Papo, ukazuju i na korak dalje u pravcu potpuno novog, netradicionalnog, samokoncipiranja i samoreprezentacije koje je Šabataj neprekidno sprovodio. Naime, E. Papo je pokazao kako se u hebrejskoj verziji pesme *Meliselda* koju je sačinio rabi Abraham Jakini, u preradi koju je prihvatio i odobrio sam mesija, Šabataj javlja kao nevesta, oličenje svih vrlina. Šabataj je Meliselda tj., na hebrejskom, *Melis-El-Da* (ovaj Božiji zastupnik), koji se uzdiže na stolici neveste, kao na tradicionalnom jevrejskom venčanju. Šabataj kao Meliselda/*Melis-El-Da* je, stoga, Tora tj. božanska Šekina.[63] Tako je, na potpuno antielitistički i kontrarabinski način, oslanjajući se na žensku, ljubavnu pesmu na narodnom (judeošpanskom), neliturgijskom jeziku, mesija poistovećen sa Torom i Šekinom. Moguće je da nadgrobna ploča sa starog jevrejskog groblja sa predstavom stilizovane antropomorfne figure koja se jednovremeno može čitati i kao predstava svitka Tore predstavlja jedinstven i jedini do sad poznati primer u vizuelnoj kulturi takve identifikacije Šabataja Sevija i njegove najneposrednije reprezentacije kao mesije, tj. Božanskog zastupnika.

Sagledana u širem kontekstu popularne funerarne umetnosti svog vremena, ova ploča, kao i ostale razmatrane nadgrobne ploče iz Niša, odličan je primer kulturnog transfera i vizuelne kulture i kulturne dinamike religije na Balkanu u srednjovekovno i rano moderno doba. Njihove forme, način klesanja, repertoar motiva kao i sam materijal, lokalni peščar, nalaze svoje neposredne pandane u ogromnom korpusu nadgrobnih belega rasprostranjenih širom Balkana, poznatih pod kolektivnim nazivom stećak, na području današnje Srbije, Bosne i Hercegovine, Crne Gore, Hrvatske, ali i druge — u Bugarskoj i Rumuniji.[64] Tako stilizovana antropomorfna predstava, koja podjednako može biti i predstava svitka Tore kao alegorijska slika Šabataja Sevija u njegovom mesijanskom obličju, nalazi najneposrednije pandane u korpusu hrišćanskih, srpskih

---

[63] Eliezer Papo, "'Meliselda' and its Symbolism for Sabbatai Sevi, His Inner Circle and His Later Followers", posebno 117—121.

[64] O stećcima vid. Јелена Ердељан, *Средњовековни надгробни споменици у области Раса*, Археолошки институт, Музеј Рас Нови Пазар, Београд 1996; Ista, „Стећци — поглед на иконографију народне погребне уметности на Балкану", *Зборник Матице српске за ликовне уметности* 32—33, 2003, 107—119.

nadgrobnika sa teritorije Rasa koji se datuju u raspon od XV do XVII veka. Horizontalne nadgrobne ploče sa uklesanim predstavama, a češće sa predstavama stilizovane ljudske figure svedene često na jednostavni obris pravougaonika i kruga, nekad sa urezanom ili u plitkom reljefu izvedenom vijugavom ili cikcak linijom po sredini tela, baš kao na niškom primeru sa jevrejskog groblja, nalaze se na mnogim lokalitetima širom nekada centralne oblasti srprske srednjovekovne države koja je dolaskom Osmanlija postala deo Novopazarskog sandžaka a zatim i sandžaka Bosna. Posebno treba istaći najveće i najvažnije sačuvane srpske nekropole na seoskim ili gradskim grobljima i manastirskim grobljima u ovoj oblasti koje se u kontinuitetu koriste za sahranjivanje pravoslavnih vernika od srednjeg veka do Velike seobe 1690. godine. Na njima su navedene ploče zastupljene u značajnom broju. To su stara groblja u Baletiću, Popama, Gornjim Štitarima, Trgovištu na ušću Sebečevske reke u Rašku, u manastiru Sopoćani, kao i niz drugih lokaliteta u ovom kraju. Njihova stilizovana forma često je po obliku istovetna posmrtnim soframa ili stolovima na kojima se služe daće i drugi ritualni obredi vezani za posmrtne i pogrebne običaje duboko utemeljene u prethrišćanskim, paganskim verovanjima koja su, dolaskom Osmanlija postala još izraženije sredstvo održavanja koherentnosti i identiteta srpskih zajednica. Njihova simbolika i značenje vezuju se za neophodnost održavanja stalnog ritualnog opštenja sa mitskim precima, sa kojima se pokojnik u onostranoj egzistenciji ponovo sjedinjuje i poistovećuje, koji su garanti opstanka i napretka svog roda i zajednice kojoj pripadaju. Slika pokojnika u onostranoj egzistenciji, kao mitologizovanog božanskog pretka, iz antropomorfne forme neretko poprima i formu (antropomorfnog) krsta, kao na primeru nadgrobnika sa groblja u Gornjim Štitarima kod Novog Pazara. Tako vidimo da kriptojevrejski, šabatajski nadgrobnici na kojima stilizovana ljudska figura može biti shvaćena i kao slika Tore imaju ne samo formalne već i značenjske pandane u hrišćanskim spomenicima na kojima antropomorfna predstava biva zamenjena krstom. U najdubljem, antropološkom registru, i Tora i krst, kao zamena božanskog tela, funkcionišu kao slika samog pokojnika, tj. božanskog izvora iz koga je nastao i kome se, kao mitskom pretku, nakon smrti vraća, uzdajući se u spasenje.

Ovom poređenju treba dodati i formalne i značenjske sličnosti koje postoje između (kripto)jevrejskih, hrišćanskih i islamskih nadgrobnih spomenika sa Balkana koji su, u određenim sredinama, mogli svi biti klesani u istim radionicama. Znakovit primer su islamski nadgrobnici u vidu nišana, sasvim jasno antropomorfne prirode i oblika, a u funkciji zamene za pokojnika, često sa jasno naglašenim socijalnim statusom onog na čijem grobu se podižu izraženo kroz različite vrste turbana ili fesova. Važno je napomenuti da je u oblasti Rasa zabeleženo postojanje i tzv. srpskih nišana, tj. hrišćanskih nadgrobnih spomenika tipa usadnika, postavljenih samostalno ili kao deo složenih sepulkralnih celina u čijoj sredini su upravo položene ploče sa stilizovanim antropomorfnim predstavama. Oni odlično odražavaju kulturni transfer koji u osmansko vreme postoji u vizuelnoj kulturi različitih mileta Osmanskog carstva. Turski nišan, srpski nišan, srpska ploča sa stilizovanom ljudskom predstavom koja može biti zamenjena antropomorfnim krstom i kriptojevrejska, šabatajska, ploča sa predstavom stilizovane ljudske figure koja se može sagledati i kao predstava Tore, pravi su primer zajedničkih i deljenih motiva koji zarad svog sveopšteg antropološkog značenja, dobijaju sasvim posebna tumačenja u određenim verskim kontekstima.

Svi vidovi kriptoidentiteta, uključujući posebno one vizuelne, jevrejskog mesije Šabataja Sevija iako slabo sačuvani, a do sada još slabije proučavani, mogu pokrenuti promišljanja i o identitetima drugih konvertita na Balkanu u osmansko vreme pa tako i o važnom pitanju Srba koji su prešli u islam, a iznad svega o pitanju vizuelne kulture i kulturne dinamike religije i kroskulturalnog transfera na Balkanu i Mediteranu u srednjovekovno i rano moderno doba.

Mediteran koji nas okružuje ili Mediteran prelomljen preko Balkana

Trebalo bi da bude sasvim jasno da nije moguće posmatrati Balkan bez šireg mediteranskog vidika, kao što nije moguće ni razumeti u potpunosti Mediteran ukoliko se iz njega istrgne prostor Balkana. Pa ipak, više je odvojenih i isparčanih nego spojenih i potpunih pogleda na ova dva i geografski, a mnogo važnije kulturno i istorijski nerazdeljiva područja, nego što je pokušaja da se zaseku duboki slojevi isprepletanog zajedništva kojim se Balkan, poput toka ogromne reke, uliva u mozaik mediteranskog sveta.

Postoje za takvo stanje brojni razlozi, od kojih se mnogi kriju u rasparčanosti ne samo savremene nauke nego, još ozbiljnije, savremenih duhova i shvatanja, kojima je kruti konzervativizam–pozitivistički ili postmodernistički svejedno – neretko sigurno utočište od naučne radoznalosti koja bi mogla odvesti do otrežnjujućih ako ne i opasnih novih saznanja. Jer, potraga za istinom, podjednako kao i sama istina, ugrožava opstanak nedorečenog, nevrednog, osrednjeg i repetitivnog u naukama čiji je osnovni cilj razumevanje dubokih kulturnih potreba čoveka kroz istoriju i njihovih raznovrsnih izraza, potreba koje nisu marile za, niti bile uslovljene geografskom udaljenošću, jezičkom različitošću ili vremenskom, naizgled, neistovetnošću kako bi se prostirale po zajedničkom svetu ljudskih zajednica svih delova Mediterana. Originalna i uzbudljiva potraga za tim kulturnim duhom *čoveka* Mediterana i Balkana od ranog hrišćanskog doba pa sve do tek isteklih stoleća predstavlja suštinu knjige *Balkan i Mediteran. Kulturni transfer i vizuelna kultura u srednjovekovno i rano moderno doba* Jelene Erdeljan.

Mediteran pripada svima. Ma koliko ga prisvajali, nazivali rimskim, vizantijskim, osmanskim *jezerom*, aludirajući na trenutnu, efemernu dominaciju njegovim vodenim putevima, Mediteran uvek nađe načina da pokaže svoju suštinsku kulturnu raznovrsnost koja ne dozvoljava nijednoj sili, svetovnoj ili duhovnoj, da u potpunosti njime zavlada.

Istočni i zapadni Mediteran podeljenog hrišćanstva preplиće se sa severnim i južnim Mediteranom hrišćana i muslimana u svetu koji dele sa večno pokretnim Mediteranom Jevreja, od Levanta i Male Azije, do španskog progona krajem XV veka i Soluna, balkanskog Jerusalima, koji je nestao tek u poslednjem svetskom ratu. Ta politička nepostojanost a kulturna povezanost čitavog Mediterana zapravo potire izolacionističke pokušaje isticanja ekskluzivnosti na političku interesantnost pojedinih njegovih regiona, a pre svih Balkana, i pokazuje da su stalne promene širokog mediteranskog sveta njegova neumitnost, poput velikog talasa koji se, obično, uzdigne sa istoka da bi se smirio tek kod Heraklovih stubova na zapadnom spoju Evrope i Afrike.

Nijedna Mediteranska periferija nije dovoljno udaljena da ne bi bila zapljusnuta ovim ogromnim talasom zajedničke kulture koja ostavlja uvek ponešto drugačije obrise na različitim obalama koje zapljusne. I iako prožet centrima čija je civilizacijska privlačna snaga racionalno teško objašnjiva, od Jerusalima i Aleksandrije, Carigrada, Soluna i Rima i velikim ostrvima od Kipra i Krita do Sicilije i Korzike koja su sama po sebi kulturno i istorijski bezvremeni mali mediteranski mikrokosmosi, snažna i stalna povezanost dalekih periferija ovog živućeg kulturnog sveta predstavlja njegovu fascinantnu karakteristiku koja se najbolje razume na primerima koje Jelena Erdeljan obrađuje detaljno na stranicama ove knjige. Sveti Spiridon Kiparski i njegovo „putovanje" od jednog mirnog i uspavanog sela najvećeg ostrva istočnog Mediterana do najstarije srpske crkve u Zemunu simbolišu vanremenski i vanprostorni karakter verovanja, kao i potrebu čoveka da veruje i oseti bliskost sa snažnim i dobrim ljudima, čiji životi donose, uprkos stvarnosti, nadu u postojanje i nadmoć *dobrog* u svetu nestalnom poput plime i oseke večno pokretnog mediteranskog giganta. Šabataj Sevi, taj novi mesija iz XVII veka, uz pomoć koga Jelena Erdeljan ocrtava koncentrične krugove dugotrajnog jevrejskog mediteranskog kulturnog i religijskog nasleđa koji su omogućili njegovu jedinstvenu pojavu, ukazuje na irelevantnost artificijelnih granica, vremenskih okvira i prostornih omeđivanja i na potrebu njihovog prevlađivanja kako bi se razumela svepovezanost mediteranskog *čoveka*, bio on Balkanac, Kipranin, Sicilijanac, Španac...

Vlada Stanković

Literatura

B. Abou-El-Haj, *The Medieval Cult of Saints: Formations and Transformations*, Cambridge 1994.
D. Abulafia, "What is the Mediterranean?", u: *The Mediterranean in History*, ur. D. Abulafia, Thames & Hudson Ltd, London 2003, 11—32.
D. Abulafia, *The Great Sea, A Human History of the Mediterranean*, Oxford 2011.
R. Adelman, *The Poetics of Time and Space in the Midrashic Narrative — The Case of Pirkei de Rabbi Eliezer*, Ph. D. dissertation, Hebrew University 2008.
M. Alison Frantz, "St. Spyridon: The Earlier Frescoes", *Hesperia: The Journal of the American School of Classical Studies at Athens*, Vol. 10, No. 3 (1941), 193—198.
Z. Ameisenowa, W. F. Mainland, "The Tree of Life in Jewish Iconography", *Journal of the Warburg Institute* 2 (1939), 326—345.
D. G. Angelov, "Byzantinism: The Imaginary and Real Heritage of Byzantium in Southeastern Europe", u: *New Approaches to Balkan Studies*, ur. D. Keridis, E. Elias Bursac, N. Yatromanolakis, Dulles VA 2003, 3—23.
J. C. Arnold, *The footprints of Michael the Archangel: the formation and diffusion of a saintly cult*, c. 300—c. 800, Palgrave Macmillan 2013.
A. Assman, Transformations between History and Memory, *Social Research: An International Quarterly*. Vol. 75, No. 1, Spring 2008, 49—72.
J. Assman, "Communicative and Cultural Memory", u: *Cultural Memory Studies. An International and Interdisciplinary Handbook*, ur. A. Erll, A. Nünning, Berlin — New York 2008, 109—118.
С. С. Аверинцев, *Поетика рановизантијске књижевности*, СКЗ, Београд 1982.
G. Babić, C. Walter, "The inscriptions upon liturgical rolls in Byzantine apse decoration", *Revue des études byzantines* 34 (1976), 269—280.
M. Bacci, "Toscane, Byzance et Levant: pour une histoire dynamique des rapports artistiques méditeranéens au XIIe et XIIIe siècles", u: *Orient et Occident méditeranéens au XIIIe siècle. Les programmes picturaux*, ur. J.-P. Caillet, F. Joubert, Paris 2012, 235—256
M. Bacci, "Palaiologan Icons in Tuscany", u: *Afeiroma ston akadaimaoko Panayoti Vokotopoulo*, Athena 2015, 567—576.
M. Bacci, "The holy name of Jesus in Venetian-ruled Crete", *Convivium* 1 (2014), 190—205.
M. Bacci, "Devotional Panels as Sites of Intercultural Exchange", u: *Domestic Devotions in Early Modern Italy*, ur. M. Corry, M. Faini, A. Meneghin, Brill, Leiden—Boston 2019, 272—292.
M. Bacci, "Portolano sacro. Santuari e immagini sacre lungo le rotte di navigazioe del Mediterraneo tra tardo Medioevo e prima età moderna", u: *The Miraculous Image in the Late Middle Ages and Renaissance, Papers from a conference held at the Accademia di Danimarca in collaboration with the Bibliotheca Hertziana (Max-Planck-Institut für Kunstgeschichte), Rome 31 May—2 June 2003*, ur. E. Thunø, G. Wolf, "L'Erma" di Bretschneider, Rome MMIV, 223—248.
D. Bădărău, I. Caproşu, *Iaşii vechilor zidiri*, Casa Editorială Demiurg, Iaşi 2007.
B. Baert, *Pneuma and the Visual Medium in the Middle Ages and Early Modernity. Essays on Wind, Ruach, Incarnation, Odour, Stains, Movement, Kairos, Web and Silence*, Peeters, Leuven—Paris—Bristol 2016.

B. Baert, "New Iconological Perspectives on Marble as Divinus Spiritus. Hermeneutical Change and Iconogenesis", *Louvain Studies* 40 (2017), 14—36.
Е. Бакалова, А. Лазарова, „Мощите на св. Спиридон и структуриране на сакралното пространство на остров Корфу. Между Коностантинопол и Венеция", u: Е. Бакалова, *Култьт към реликвите и чудотворните икони. Традиции и съвременност*, Издателство на БАН „Проф. Марин Дринов", София 2016, 105—126.
C. Bakirtzis, "Pilgrimage to Thessalonike: The Tomb of St. Demetrios", *Dumbarton Oaks Papers* 56 (2003), 175—192.
Ф. Баришић, *Чуда Димитрија Солунског као историјски извори*, Београд 1953.
J. Barnai, "Christian Messianism and the Portuguese Marranos: The Emergence of Sabbateanism in Smyrna", *Jewish History* 7/2 (1993), 119—126.
E. Benbassa, A. Rodrigue, *The Jews of the Balkans: The Judeo-Spanish Community, 14th to 20th Centuries*, Blackwell Publishers, Oxford, Englandand Cambridge, Massachusetts 1995.
H. Bhabha, *The Location of Culture*, Routledge, New York 1994.
H. Bhabha, "On Disciplines and Destinations", u: *Territories and Trajectories. Cultures in Circulation*, ur. Diana Sorensen, Duke University Press, Durham and London 2018, 1—12.
I. Μπίθα, ΠΑΡΑΤΗΡΗΣΕΙΣ ΣΤΟΝ ΕΙΚΟΝΟΓΡΑΦΙΚΟ ΚΥΚΛΟ ΤΟΥ ΑΓΙΟΥ ΣΠΥΡΙΔΩΝΑ, ΔΕΛΤΙΟΝ ΤΗΣ ΧΡΙΣΤΙΑΝΙΚΗΣ ΕΤΑΙΡΕΙΑΣ, ΠΕΡΙΟΔΟΣ Δ΄ ΤΟΜΟΣ ΙΘ΄ 1996—1997 (1997), 251—284.
Z. Blažević, "Globalizing the Balkans. Balkan Studies as a Transnational/Translational Paradigm", *Kakanienrevisited* 22/06/2009.
N. A. Bogdan, *Orașul Iași. Monografie istorică și socială, ilustrată*, Ed. Tehnopress, Iași, 1997.
M. Bommas, "Isis, Osiris, and Serapis", u: *The Oxford Handbook of Roman Egypt*, ur. C. Riggs, Oxford University Press 2015, 427—435.
C. Bonnet, L. Bricault, *Quand les dieux voyegent: cultes et mythes en mouvement dans l'espace méditerranéen antique. Histoire des religions*, Genève 2016.
Ђ. Бошковић, П. Мијовић, М. Ковачевић, *Улцињ*, Археолошки институт, Београд 1981.
I. Božić, "Le culte de saint Michel sur les deux côtes de l'Adriatique", *Le relazioni religiose e chiesastico-giurisdizionali. Atti del Congresso di Bari (Centro Studi sulla storia e la civiltà adriatica, Bari, 29—31 ottobre 1976)*, ur. P. F. Palumbo, Roma 1979, 19—30.
S. Brajović, *U Bogorodičinom vrtu: Bogorodica i Boka Kotorska — barokna pobožnost zapadnog hrišćanstva*, Plato, Beograd 2006.
S. Brajović, "Marian piety as devotional and integrative system in the Bay of Kotor in the early modern period", u: *Beyond the Adriatic Sea. Plurality of Identities and Floating Borders in Visual Culture*, ur. S. Brajović, Novi Sad 2015, 12—150.
S. Brajović, J. Erdeljan, "Praying with the sense. Examples of icon devotion and the sensory experience in medieval and early modern Balkans", *Zograf* 39 (2015), 57—63.
F. Braudel, *La Méditerranée et le Monde Méditerranéen à l'Epoque de Philippe II* , Paris 1949 = F. Brodel, *Mediteran i mediteranski svet u doba Filipa II*, Podgorica—Beograd 2001.
L. Bricault, *Atlas de la diffusion des cultes isiaques, (IVe siecle av. J.—C.—IVe siecle apr. J.—C.)*, Paris 2001.
P. Brown, *The Cult of the Saints. Its Rise and Function in Latin Christianity*, Chicago 1981.
P. Brown, *The Making of Late Antiquity*, University of California Press 1982.
P. Brown, "The saint as exemplar in Late Antiquity", *Representations* 2— 1983, 1—25.
P. Brown, *Society and the Holy in Late Antiquity*, Harvard University Press 1993.
P. Brown, "Enjoying the Saints in Late Antiquity", u: *Decorations for the Holy Dead, Visual Embellishments on Tombs and Shrines of Saints*, ur. S. Lamia, E. Valdez del Alamo, Brepols, Tournhout 2002, 3—20.

P. Burke, *Hybrid Renaissance. Culture, Language, Architecture*, Budapest — New York 2016.
Byzantines, Latins, and Turks in the Eastern Mediterranean World after 1150, ur. J. Harris, C. Holmes, E. Russell, Oxford University Press 2012.
M. S. Calò Mariani, "Saints, relics and "Madonne venute dal mare", The Apulia in the cultural Mediterranean routes", u: *Cultural Heritage for the Sustainable Development of the Mediterranean Countries*, ur. A. Trono, F. Rippi, S. Romano, Congedo Editore, Galatina 2015, 3—31.
A. Cameron, "Thinking with Byzantium", *Transactions of the Royal Historical Society*, Sixth Series, Vol. 21 (2011), 39—57.
Can We Talk Mediterranean? Conversations on an Emerging Field in Medieval and Early Modern Studies, ur. B. A. Catlos, S. Kinoshita, Palgrave Macmillan 2017.
M. Canepa, "Theorizing Cross Cultural Interaction Among Ancient and Early Medieval Visual Cultures", *Ars Orientalis* (2010), 7—29.
D. Carr, *Time, Narrative, and History*, Indiana University Press, Bloomington 1991.
V. B. Catlos, "Ethn-Religious Minorities", in: *A Companion to Mediterranean History*, ur. P. Horden, S. Kinoshita, London 2014, 361—377.
Circulations in the Global History of Art, ur. T. da Kosta Kaufmann i dr., Routledge 2015.
R. W. Clement, "The Mediterranean: What, Why, and How", *Mediterranean Studies* 20/1 (2012).
T. Coenen, *Ydela verwachtinge der Joden getoont in den Pesoon van Sabethai Zevi, haren laesten vremeyden Messias*, Amsterdam 1669.
Common Culture and Particular Identities: Christians, Jews and Muslims in the Ottoman Balkans, ur. E. Papo, N. Makuljević, *El Prezente. Studies in Sephardic Culture*, Vol. 7, *Menorah. Collection of Papers*, Vol. 3, Ben-Gurion University of the Negev, Faculty of Philosophy, University of Belgrade 2013.
A Companion to Mediterranean History, ur. P. Horden, S. Kinoshita, Wiley Blackwell 2014.
A. Contadini, "Sharing a Taste? Material Culture and Intellectual Curiosity around the Mediterranean, from the Eleventh to the Sixteenth Century", u: *The Renaissance and the Ottoman World*, ur. A. Contadini, C. Norton, Ashgate 2013, 23—61.
Convivencia and Medieval Spain. Essays in Honor of Thomas F. Glick, ur. M. T. Abate, Palgrave 2018.
Cross-Cultural Interaction Between Byzantium and the West, 1204—1669: Whose Mediterranean Is It Anyway?, ur. A. Lymberopoulou, Routledge 2018.
Cuius Patrocinio Tota Gaudet Regio. Saints' Cults and the Dynamics of Regional Cohesion,
Cultural Transfers in Central Asia: Before, During and After the Silk Road, ur. S. Mustafaev, M. Espagne, S. Gorshenina, C. Rapin, A. Berdimuradov, F. Grenet, IICAS, Paris—Samarkand 2013.
М. Цуњак, Б. Цветковић, *Црква Успења Пресвете Богородице у Смедереву*, Српска православна црквена општина Смедерево, Републички завод за заштиту споменика културе Београд, Смедерево Београд 1997.
F. Curta, *Southeastern Europe in the Middle Ages, 500—1250*, Cambridge University Press, New York 2006.
Б. Цветковић, Г. Гаврић, „Краљица Јелена и фрањевци", u: *Јелена. Краљица, монахиња, светитељка*, ур. К. Митровић, Манастир Градац, Брвеник 2015, 119—135.
J. Cvijić, *La péninsule balkanique: géographie humaine*, Paris 1918 = J. Cvijić, *Balkansko poluostrvo i južnoslovenske zemlje*, Beograd 1922.
М. Чанак—Медић, „Которски Свети Лука у светлу нових открића", *Зборник за ликовне уметности Матице српске* 21 (1985), 51—68.
Б. Чоловић, *Иконопис книнске крајине* 2, Београд 1997.

T. daCosta Kaufmann, *Toward a Geography of Art*, University of Chicago Press 2004.
H. Dajč, *Sumrak starog Mediterana. Jonska ostrva 1774—1815*, HERAedu, Beograd 2016.
Dalmatia and the Mediterranean. Portable Archaeology and the Poetics of Influence, ur. A. Payne, Brill, Leiden—Boston 2014.
Z. Demori Staničić, „Kontinuitet majstora i radionica 'kretsko—venecijanske škole' od 15. do 17. stoljeća na istočnoj obali Jadrana", u: *Majstorske radionice u umjetničkoj baštini Hrvatske. Zbornik Dana Cvita Fiskovića V*, ur. D. Milinović, A. Marinković, A. Munk, Odsjek za povijest umjetnosti Filozofskog fakulteta Sveučilišta u Zagrebu — FF press, Zagreb 2014, 123—135.
Z. Demori Staničić, „Ikone sv. Spiridona s prikazom opsade Krfa 1716. godine", u: *Razmjena umjetničkih iskustava u jadranskom bazenu, Zbornik Dâna Cvita Fiskovića VI*, ur. J. Gudelj, P. Marković, FF Press, Zagreb 2016, 127—138.
O. Demus, *Byzantine Art and the West*, New York University Press, New York 1970.
J. Dickie, "The Iconography of the Prayer Rug", *Oriental Art*, Spring, 1972, 41—49.
Die byzantinischen Häfen Konstantinoples, ur. F. Dai), Byzanz zwischen Orient und Okzident 4, Verlag des Römisch—Germanischen Zentralmuseums, Mainz 2016.
M. Dieterle, *Dodona. Religionsgeschichtliche und historische Untersuchungen zur Entstehung und Entwicklung des Zeu—-Heiligtums*, Zürich — New York 2007.
С. Димитријевић, „Грађа за српску историју из руских архива и библиотека", *Споменик Српске краљевске академије* 53 (1922), 138—139.
R. W. Dorin, "Adriatic Trade Networks in the Twelfth and Early Thirteenth Centuries", u: *Trade and Markets in Byzantium* 235—279.
S. Dov Goitein, *A Mediterranean Society: The Jewish Communities of the Arab World as Portrayed in the Documents of the Cairo Geniza*. 6 vols, University of California Press, Berkeley 1967—1993.
L. Drewer, "Leviathan, Behemot and Ziz: A Christian Adaptation", *Journal of the Warburg and Courtauld Institutes* 44 (1981), 148—156.
E. Dursteler, *Venetians in Constantinople. Nation, Identity, and Coexistence in the Early Modern Mediterranean*, The Johns Hopkins University Press, Baltimore 2006.
E. Dursteler, "On Bazaars and Battlefields: Recent Scholarship on Mediterranean Cultural Contacts", *Journal of Early Modern History* 15 (2011), 413—434.
В. Ј. Ђурић, „Језици и писмена на средњовековним фреско—натписима у Боки Которској: значај за културу и уметност", u: *Црква Светог Луке кроз вјекове, Зборник радова*, 255—269.
E. Elba, "The saints across the sea, The overseas saints: Cult and images of St. Michael and St. Nicholas between Apulia and Dalmatia in the Middle Ages (A preliminary study)", u: *I santi venuti dal mare*, 91—107.
J. Elkins, "Afterword", u: *Circulations in the Global History of Art*, ur. T. DaCosta Kaufmann ildr., Routledge 2015, 203—229.
J. Elsner, "The birth of late antiquity: Riegl and Strzygowski in 1901", *Art History* 25 (2002), 358—379.
M. M. Epstein, "The Elephant and the Law: The Medieval Jewish Minority Adapts a Christian Motif", *The Art Bulletin* 76 (1994), 465—478.
Ј. Ердељан, *Средњовековни надгробни споменици у области Раса*, Београд 1996.
Ј. Ердељан, „Стећци — поглед на иконографију народне погребне уметности на Балкану", *Зборник Матице српске за ликовне уметности* 32—33 (2003), 107—119.
J. Erdeljan, "Jewish funerary monuments from Niš: a comparative analysis of form and iconography", *El Prezente* 4 (2010), 213—232.

J. Erdeljan, "New Jerusalems as New Constantinoples? Reflection on the Reasons and Principles of Translatio Constantinopoleos in Slavia Orthodoxa", *Deltion tes christianikes arhaiologikes etaireias* 32 (2011), 11—18.
J. Erdeljan, „Studenica. An Identity in Marble", *Зоīраф* 35 (2011), 93—100.
J. Erdeljan, "The Balkans and the Renaissance World", u: *Byzantine and Pos—-Byzantine Art: Crossing Borders*, 193—208.
J. Erdeljan, *Mediteran i drugi svetovi. Pitanja vizuelne kulture, XI—XIII vek*, Novi Sad 2015.
J. Erdeljan, B.Vranešević, "Eikon and Magic. Solomon's Knot on the Floor Mosaic in Herakleia Lynkestis", *IKON* 9 (2016), 99—108.
J. Erdeljan, *Chosen Places. Constructing New Jerusalems in Slavia Orthodoxa*, Brill, Leiden Boston 2017.
J. Erdeljan, "Two inscriptions from the Church of Sts. Sergius and Bacchus Near Shkodër and the Question of Text and Image as Markers of Identity in Medieval Serbia", u: *TEXTS—INSCRIPTIONS—IMAGES, Art Readings, Thematic annual peer—reviewed edition in Art Studies in two volumes, 2016/vol. 1— Old Art*, ur. E. Moutafov, J. Erdeljan, Institute of Art Studies, Bulgarian Academy of Sciences, Sofia 2017, 129—143.
M. Espagne, "Cultural Transfers in Art History", u: *Circulations in the Global History of Art*, 97—112.
M. Espagne, *Les transferts culturels franco—allemands*, PUF, Paris 1999.
M. Espagne, "La notion de transfert culturel", *Revue Sciences/Lettres* 1 (2013) http://journals.openedition.org/rsl/219.
Faces of Charisma. Image, Text, Object in Byzantium and the Medieval West, ur. B. M. Bedos Rezak, M. D. Rust, Brill 2018.
C. Farago, "Desiderata for the Study of Early Modern Art of the Mediterranean", u: *Can We Talk Mediterranean? Conversations on an Emerging Field in Medieval and Early Modern Studies*, 49—64.
F.—X. Fauvelle, *Das goldene Rhinozeros. Afrika im Mittelalter*, C. H. Beck Verlag, München 2017.
K. E. Flemming, "Two Rabbinic Views of Ottoman Mediterranean Ascendency", u: *A Faithful Sea*, ur. A. Hussein, K. E. Flemming, Oxford 2007, 99—120.
E. Françoise, H. Schulze, "Einleitung", u: *Deutsche Erinnerungsorte*, Vol 1, ur. E. Françoise, H. Schulze, C. H. Beck, München 2002, 3—25.
From Roman to Early Christian Thessalonike, Studies in Religion and Archaeology, ur. L. Nasrallah, C. Bakirtzis, S. J. Friesen, Harvard University Press 2010.
Л. Фундић, „Зидно сликарство цркве светог Николе Родијаса код Арте", *Зоīраф* 34 (2010), 87—110.
С. Габелић, *Манасшир Лесново. Исшорија и сликарсшво*, Филозофски факултет у Београду, Београд 1998.
J. Garnett, G. Rosser, "The Ex Voto Between Domestic and Public Space", u: *Domestic Devotions in Early Modern Italy*, Brill 2018, ur. M. Corry, M. Faini, A. Meneghin, Brill, Leiden Boston 2018, 45—62.
P. J. Geary, *Furta Sacra. Thefts of Relics in the Central Middle Ages*, Princeton University Press, Princeton 1990.
M. Georgopoulou, "Late Medieval Crete and Venice: An appropriation of Byzantine heritage", *The Art Bulletin* 77 (1995), 479—496.
M. Goldish, "Sabbatai Zevi and the Sabbatean Movement", u: *The Cambridge History of Judaism, Vol. VII: The Early Modern World 1500—1815*, ur. J. Karp, A. Sutcliffe, Cambridge University Press, Cambridge 2018, 491—521.

Greek and Roman Networks in the Mediterranean, ur. I. Malkin, C. Constantakopoulou, K. Panagopoulou, Routlege, London , New York 2013.
M. Green, *A Shared World: Christians and Muslims in the Early Modern Mediterranean*, Princeton University Press, Princeton NJ 2000.
J. Gutmann, "When the Kingdom Comes, Messianic Themes in Medieval Jewish Art", *Art Journal* 27 (1967—1968), 168—175.
J. Gutmann, "Leviathan, Behemot and Ziz: Jewish Messianic Symbols in Art", *Hebrew Union College Annual* 39 (1968), 219—230.
G. Hadar, "*Sazanikos* and the Serpent within the Tree: Innovations in the Study of Common Concepts in the Research of Shabbateanism", *El Prezente* 10 (2016), 215—236.
M. H. Hansen, T. H. Nielsen, *An Inventory of Archaic and Classical Poleis*, Oxford University Press 2004.
Harbours as Objects of Interdisciplinary Research— Archaeology+History+Geosciences, ur. C. von Carnap—Bornheim, F. Daim, P. Ettel, U. Warnke, Verlag des Römisch—Germanischen Zentralmuseums, Mainz 2018.
C. Hilsdale, "Translatio and Objecthood. The Cultural Agendas of Two Greek Manuscripts at Saint Denis", *Gesta* 56/2 (2017), 151—178.
P. Horden, N. Purcell, *The Corrupting Sea: A Study of Mediterranean History*, Oxford 2000.
P. Horden, N. Purcell, "The Mediterranean and "the New Thalassology"", *The American Historical Review* 111/3 (2006), 722-740.
A. A. Husain, *A faithful sea: The religious cultures of the Mediterranean, 1200—1700*, Oxford 2007.
Hybride Kulturen im mittelalterlichen Europa. Vorträge und Workshops einer internationalen Frühlingsschule, ur. M. Borgolte, B. Schneidmüller, Akademie Verlag GmbH, Berlin 2010.
I santi venuti dal mare, Proceedings of the Fifth International Conference (Bari—Brindisi,14—18 December 2005),dur. M. S. Calò Mariani, Adda, Bari 2009.
Images of the Mother of God, ur. M. Vassilaki, Ashgate Publising, Aldershot Burlington 2005.
International Conference Creating Memories in Early Modern and Modern Art and Literature. Abstracts of Papers, ur. N. Makuljević, E. Papo, J. Erdeljan, Faculty of Philosophy, University of Belgrade 2017.
V. Ionescu, "From nothing, from an "idea": Barbara Baert's iconology of immersion and transitions", *Predella. Journal of visual arts* 39 (2016), 113—119.
Историја српског народа, I, ур. С. Ћирковић, Српска књижевна задруга, Београд 1981.
Историја српског народа, II, ур. Ј. Калић, Српска књижевна задруга, Београд 1982.
D. Jacoby, *Byzantium, Latin Romania and the Mediterranean*, Aldershot 2001.
D. Jacoby, "Evolving Routes of Western Pilgrimage to the Holy Land, Eleventh to Fifteenth Century: An Overview", u: *Unterwegs im Namen der Religion II / On the Road in the Name of Religion II, Wege und Ziele in vergleichender Perspektive— das mittelalterliche Europa und Asien / Ways and Destinations in Comparative Perspective— Medieval Europe and Asia*, ur. K. Herber/, H. C. Lehne), Franz Steiner Verlag 2016, 75—97.
D. Jacoby, *Medieval Trade in the Eastern Mediterranean and Beyond*, Variorum Collected Studies, Routledge, London , New York 2018.
R. Janin, "Les monastères du Christ Philanthrope á Constantinople", *Revue des études byzantines* 4/1 (1946), 135—162.
Јелена. Краљица, монахиња, светитељка, ур. К. Митровић, Манастир Градац, Брвеник 2015.
L. Jessop, "Pictorial Cycles of No—-Biblical Saints: The Seventh and Eight—-Century Mural Cycles in Rome and Contexts for Their Use", *Papers of the British School at Rome* 67 (1999), 233—279.

C. Jolive—-Levy, *Les eglises Byzantines de Cappadoce*, Paris 1991.
Journeying Along Medieval Routes in Europe and the Middle East, ur. A. L. Gascoigne, L. V. Hicks, M. O'Doherty, Brepols, Turnhout 2016.
Kabbalah of Creation. The Mysticism of Isaac Luria, Founder of Modern Kabbalah, translated and with commentary of E. J. Klein, Berkeley, California 2005.
K. Kaser, *Südosteuropäische Geschichte und Geschichtswissenschaft*, Böhlau, Vienna 1990.
K. Kaser, "Balkan Studies Today at the University of Graz (and elsewhere)", *Kakanienrevisited* 20/02/2009.
A. Kazhdan, H. Maguire, "Byzantine Hagiographical Texts as Sources on Art", *Dumbarton Oaks Papers* 45 (1991), 1—22.
A. Kazhdan, "Women at Home", *Dumbarton Oaks Papers* 52 (1998), 1—17.
E. Kitzinger, *The Art of Byzantium and the Medieval West: Selected Studies*, ur. W. E. Kleinbauer, Indiana University Press, Bloomington, Indiana 1976.
E. Kitzinger, *Byzantine art in the making: main lines of stylistic development in Mediterranean art, 3rd—7th century*, Harvard University Press,Cambridge 1977.
G. Klaniczay, "Conclusion, Sainthood, Patronage and Region", u: *Cuius Patrocinio Tota Gaudet Regio. Saints' Cults and the Dynamics of Regional Cohesion*, 441—453.
J. Кодер, *Византијски свет, Увод у историјску географију источног Медитерана током византијске епохе*, Београд 2011.
M. Korkuti, "Towards a Solution of a Hypothesis: In Light of Albanian Toponymical and Anthroponomical Data", *El Prezente* 10 (2016), 115—122.
T. Krstić, *Contested Conversions to Islam. Narratives of Religious Change in the Early Modern Ottoman Empire*, Stanford University Press 2011.
А. Куюмджиев, *Стенописите в главната църква на рилския манастир*, Българска академия на науките, Институт за изследване на изкуствата, София 2015.
S. T. Lachs, "Serpent Folklore in Rabbinic Literature", *Jewish Social Studies* 27 (1965), 168—184.
J. Lane, "Reception theory and reader—response: Hans—Robert Jauss (1922—1997), Wolfgang Iser (1926—) and the school of Konstanz", u: *Modern European criticism and theory*, ur. J. Wolfreys, Edinburgh University Press, Edinburgh, 280—286.
D. Lappa, *Variations on a Religious Theme. Jews and Muslims from the Eastern Mediterranean Converting to Christianity, 17th & 18th Centuries*, Thesis submitted to the European University Insititute, Florence 2015.
В. Лазарев, *Новгородская иконопис*, Москва 1969.
Ž. Lebl, „Jevreji u Nišu", *Jevrejski almanah* 1971—1996 (2000), 137—152.
А. М. Лидов, *Иеротопия. Пространственные иконы и образы—парадигмы в византийской культуре*, Дизайн. Информация. Картография, Москва 2009.
А. М. Лидов, „Иеротопия. Создание сакралъных пространств как вид творчества и предмет исторического исследования", u: *Иеротопия. Создание сакральных пространств в Византии и Древней Руси*, ред. А. М. Лидов, Прогрес—-традиция, Москва 2006, 9—31.
Liminal Spaces of Art between Europe and the Middle East, ur. I. Prijatelj Pavičić, M. Vicelja Matijašić, M. Germ, G. Cerkovnik, K. Meke, I. Babnik, N. Díaz Fernández, Cambridge Scholars Publishing 2018.
Local Saints and Local Churches in the early Medieval West, ur. A. Thacker, R. Sharpe, Oxford 2002.
P. Magdalino, "'What we heard in the Lives of the Saints we have seen with our own eyes": the holy man as literary text in tenth—century Constantinople", u: *The Cult of Saints in Late Antiquity and the Middle Ages: Essays on the Contribution of Peter Brown*, ur. J. Howard—Johnston, P. A. Hayward, Oxford University Press 1999, 83—114.

H. Maguire, "Ernst Kitzinger: 1912—2003", *Dumbarton Oaks Papers* 57 (2003), ix—xiv.
N. Makuljević, "The Picture of the Balkans between Orientalism and Nationalism", u: *Europe and the Balkans. Decades of 'Europeanization'?*, ur. T. Zimmermann, A. Jakir, Verlag Königshausen & Neumann GmbH, Würzburg 2015, 107—118.
N. Makuljević, "The Trade Zone as the Cultural Space: Traders, Icons and the Cross—Cultural Transfer at the Adriatic Frontiers in Early Modern Times", u: *Beyond the Adriatic Sea. A Plurality of Identities and Floating Borders in Visual Culture*, ur. S. Brajović, Novi Sad 2015.
E. Malamut, *Sur la route des saints byzantins*, CNRS Éditions, Paris 1993.
I. Malkin, *A Small Greek World. Networks in the Ancient Mediterranean*, Oxford University Press 2011.
Манастир Свети Прохор Пчињски, приредио Н. Макуљевић, Епархија Врањска Српске православне цркве, Српски православни манастир Свети Прохор Пчињски, Центар за визуелну културу Балкана Филозофског факултета Универзитета у Београду, Београд—Врање 2015.
P. Marciniak, "Oriental like ByzantiumSome Remarks on Similarities BetweenByzantinism and Orientalism", u: *Imagining Byzantium. Perceptions, Patterns, Problems*, ur. A. Alshanskaya, A. Gietzen, C. Hadjiafxenti, Byzanz zwischen Orient und Okzident 11, Studien zur Ausstellung "Byzanz & der Westen. 1000 vergessene Jahre", Verlag des Römisch—Germanischen Zentralmuseums, Mainz 2018, 47—53.
Marginality in Byzantium, ur. Ch. A. Maltezou, Athens 1993.
T. F. Matthews, *The Dawn of Christian Paintings in Panel Paintings and Icons*, J. Paul Getty Museum, Los Angeles 2016.
M. McCormick, *Origins of the European Economy. Communications and Commerce, AD 300—900*, Cambridge University Press 2001.
F. Meijer, *A History of Seafaring in the Classical World*, London 1986.
Menschen, Bilder, Sprache, Dinge. Wege der Kommunikation zwischen Byzanz und dem Westen, 1: Bilder und Dinge, ur. F. Daim, D. Heher, C. Rap), Byzanz zwischen Orient und Okzident 9,1; 9,2. Studien zur Ausstellung "Byzanz & der Westen. 1000 vergessene Jahre", Verlag des Römisch—Germanischen Zentralmuseums, Mainz 2018.
V. A. Metcalfe, "M. Rosser Owen, Forgotten Connections? Medieval Material Culture and Exchange in the Central and Western Mediterranean", *A—-Masaq* 25/1 (2013), 1—8.
W. D. Mignolo, *Local Histories/Global Designs. Coloniality, Subaltern Knowledges, and Border Thinking*, Princeton University Press 2012.
Migrations in Visual Art, ur. J. Erdeljan, M. Germ, I. Prijatelj Pavičić, M. Vicelja Matijašić, Faculty of Philosophy, University of Belgrade 2018.
В. Милановић, „Култ и иконографија светог Луке у православљу до средине XV века", u: *Црква светоī Луке кроз вјекове. Зборник радова*, ур. В. Кораћ, Српска православна црквена општина Котор, Котор 1997, 73—105.
С. Милеуснић, „Иконостас у капели Светог Спиридона у Котору", u: *Црква Светоī Луке кроз вјекове, Зборник радова*, ур. В. Кораћ, Котор 1997, 221—231.
М. Милин, „Зачеци култова ранохришћанских мученика на тлу Србије", u: *Култ светих на Балкану*, ур. М. Детелић, Крагујевац 2001, 9—24.
Ђ. Милошевић, Д. Медаковић, *Летопис Срба у Трсту*, Београд 1987.
Б. Миљковић, „Немањићи и Свети Никола у Барију", *Зборник радова Византолошкоī института* 44 (2007), 275—294.
D. Mishkova, "Academic Balkanisms: Scholarly Discourses of the Balkans and Southeastern Europe", u: *Entangled Histories of the Balkans.* Volume Four— Concepts, Approaches, and

(Sel)-)Representations, ur. R. Daskalov, A. Vezenkov, Brill, Leiden— Boston 2017, 44—114.
W. J. T. Mitchell, *What Do Pictures Want? The Lives and Loves of Images*, University of Chicago Press 2004.
E. Moutafov, I. Toth, "Byzantine and Pos—-Byzantine Art: Crossing Borders— Exploring Boundaries", u: *Byzantine and Pos—-Byzantine Art: Crossing Borders*, ur. E. Moutafov, I. Toth, Sofia 2018, 11—36.
J. Mrgić, "Landscape and Settlements of Southeast Europe: Pre—modern Bosnia and Serbia", u: *Landscape in Southeastern Europe*, ur. L. Mirošević, G. Zaro, M. Katić, D. Birt, Studies on South East Europe, vol. 21, ur. Karl Kaser, LIT Verlag Wien GmbH&Co. KG, Wien 2018, 69—87.
T. Nikolaidis, "'Local religion" in Corfu: sixteenth to nineteenth centuries", *Mediterranean Historical Review* 29/2 (2014), 155—168.
М. Обрадовић, *Сӣрабон из Амасије. Исӣоричар и іеоірафа*, Еволута, Београд 2018.
M. O'Connell, E. R. Dursteler, *The Mediterranean World: From the Fall of Rome to the Rise of Napoleon*, Johns Hopkins University Press, Baltimore 2016.
N. Oikonomides, "The Holy Icon as an Asset", *Dumbarton Oaks Papers* 44 (1991), 35—44.
P. Oldfield, *Sanctity and Pilgrimage in Medieval Southern Italy, 100—1200*, Cambridge 2014, 18—208.
D. Papastratos, *Paper Icons: Greek Orthodox religious engravings 1665—1899*, Athens 1990.
E. Papo, "'Meliselda' and its Symbolism for Sabbatai Sevi, His Inner Circle and His Later Followers", *Kabbalah. Journal for the Study of Jewish Mystical Texts*, vol. 35, ur. Daniel Abams, Los Angeles 2016, 113—132.
S. Parpola, "The Assyrian Tree of Life: Tracing the Origins of Jewish Monotheism and Greek Philosophy", *Journal of Near Eastern Studies* 52 (1993), 161—208.
R. Patai, *The Messiah Texts. Jewish Legends of Three Thousand Years*, Wayne State University Press, Detroit 1988.
P. Pazzi, *Ex—voto delle Bocche di Cattaro: Perasto, Mula, Perzagno e Stolivo*, Venezia 2010.
N. H. Petersen, "Introduction", u: *Symbolic Identity and the Cultural Memory of Saints*, ur. N. H. Petersen, A. Mänd, S. Salvadó, T. R. Sands, Cambridge Scholars Publishing 2018, 1—20.
А. Петијевић, „Иконе светог Спиридона у музејским збиркама, трагови једног светитељског култа", u: *„Свеӣлосӣ од свеӣлосӣи": хришћански сакрални ӣредмеӣи у музејима и збиркама Србије*, Музејско друштво Србије, Народни музеј, Ниш, Београд 2014, 55—90.
А. Петијевић, *Заборављени чудоӣворац. Кулӣ свеӣоі Сӣиридона у сӣској ӣрадицијској кулӣури*, Музеј Војводине, Нови Сад 2017.
Д. Поповић, „Мошти светог Луке— српска епизода", u: *Под окриљем свеӣосӣи. Кулӣ владара и реликвија у средњовековној Србији*, Балканолошки институт САНУ, Београд 2006, 295—317.
М. Ст. Поповић, *Мара Бранковић. Жена између хришћанскоі и исламскоі кулӣурноі круіа у 15. веку*, с немачког превела Б. Рајлић, Академска књига, Нови Сад 2014.
J. I. Porter, "What is 'Classical' About Classical Antiquity. Eight Propositions", *Arion* 13.I (2005), 27—61.
D. Preradović, „Jadransko more, rute i luke u ranom srednjem veku prema hagiografskim izvorima", *Исӣоријски заӣиси* LXXXIX, 3—4 /2016 (2018), 7—34.
D. Preradović, "Le culte et l'iconographie de l'archange Michel sur le littoral sud—oriental de l'Adriatique, *Les cahiers de Saint—Michel de Cuxa* XLVIII (2017), 129—144.
Prostori pamćenja I, ur. A. Kadijevi , M. Popadić, Beograd 2013.
М. Ал. Пурковић, *Исӣорија Сӣске ӣравославне црквене оӣшӣине у Трсӣу*, Трст 1960.
М. Рајнер, „Јеврејска гробља у Београду", *Јеврејски исӣоријски музеј Беоірад, Зборник* 6 (1992), 201—215.

B. Ravid, "Contra Judaeos Seventeent—-Century Italy: Two Responses to the Discorso of Simone Luzzatto by Melchiore Palonrotti and Giulio Morosini", *Association for Jewish Studies Review* 7—8 (1982—1983), 328—348.
J. Ray, "Iberian Jewry between West and East in the Sixteenth—Century Mediterranean", *Mediterranean Studies* 18 (2009), 44—65.
O. Remie Constable, *Housing the Stranger in the Mediterranean World. Lodging, Trade, and Travel in Late Antiquity and the Middle Ages*, Cambridge University Press, New York 2003.
L. Resciniti, M. Messina, M. Bianco Fiorin, *Genti di San Spiridone: I Serbi a Trieste 1751—1914*, Trieste 2009.
Rethinking the Mediterranean, ur. William V. Harris, Oxford 2005.
P. Ricoeur, *Time and Narrative*, vol. I—III, prev. K. Mclaughlid, D. Pellauer, The University of Chicago Press 1984.
U. Ritzerfeld, "In the Name of Jesus. The 'IHS' — Panel from Andreas Ritzos and the Christian Kabbalah in Renaissance Crete", *Journal of Transcultural Medieval Studies*,Vol. 2, Issue 2.
A. Robertson Brown, "Medieval Pilgrimage to Corinth and Southern Greece", *HEROM*, Vol. 1, no. 1 (2012), 197—227.
S. Rohdewald, "Figures of (trans—) national religious memory of the Orthodox Southern Slavs before 1945: An outline of examples of SS. Cyril and Methodius", *TRAMES*, 2008, 12(62/57), 3, 28—298.
N. Ross Reat, "The Tree Symbol in Islam", *Studies in Comparative Religion*, Vol. 19, No. 3 (1975), 1—19.
M. Rosser—Owen, "Mediterraneanism: How to Incorporate Islamic Art into an Emerging Field", *Journal of Art Historiography* 6 (2012), 1—33.
M. Rozen, "A Survey of Jewish Cemeteries in WesternTurkey", *Jewish Quarterly Review* 83 (1992), 71—125.
M. Rozen, *In the Mediterranean Routes, The Jewish—Spanish Diaspora from the Sixteenth to Eighteenth Centuries* (na hebrejskom), Tel Aviv 1993.
M. Rozen, *Hasköy Cemetery: Typology of Stones*, Tel Aviv University and The Center for Judaic Studies, University of Pennsylvania, Tel Aviv 1994.
San Marco, Byzantium, and the Myths of Venice, ur. H. Maguire, R. S. Nelson, Dumbarton Oaks Symposia and Colloquia, Harvard University Press 2010.
G. Scholem, *On the Kabbalah and Its Symbolism*, New York 1969.
G. Scholem, "The crypt—-Jewish sect of Donmeh", u: G. Scholem, *The Messianic Idea in Judaism and Other Essays on Jewish Spirituality*, Schocken Books, New York 1971.
G. Scholem, *Sabbatai Sevi, The Mystical Messiah, 1626—1676*, Routledge & Kegan Paul, London 1973.
A. Shalem, "'Beautiful minds': Henri Pirenne, Ernst Herzfeld and the Mediterranean", u: *The Idea of the Mediterranean*, ur. M. B. Mignone, Stony Brook, New York 2017, 81—113.
C. Sisman, *The Burden of Silence.Sabbatai Sevi and the Evolution of the Ottoman—Turkish Dönmes*, Oxford University Press, Oxford 2015.
S. Smolčić—Makuljević, "Two Models of Sacred Space in the Byzantine and Medieval Visual Culture of the Balkans. The Monasteries of St Prohor of Pčinja and Treskavac", *Jahrbuch der Österreichischen Byzantinistik* 59 (Wien 2009), 191—202.
S. Smolčić—Makuljević, "The Holy Mountain in Byzantine visual culture of medieval Balkans Sinai — Athos— Treskavac", u: *Heilige Landschaften — Heilige Berge. Akten des 8. Internationalen Barocksommerkurses der Stiftung Bibliothek Werner Oechslin*, Einsiedeln/Zürich 2014, 242—261.

S. Smolčić Makuljević, "Nathan of Gaza, Shabbetai Prophet and His Lost Skopje Grave", *El Prezente* 10 (2016), 191—213.
I. Sorin, *Cercetări privitoare la istoria bisericilor ieşene*, Ed. Trinitas, Iaşi, 2008.
М. Спремић, *Десūоū Ђурађ Бранковић и његово доба*, Српска књижевна задруга, Београд 1994.
В. Станковић, *Комнини у Цариīраду. Еволуција једне владарске ūородице*, Београд 2006.
V. Stanković, "Putting Byzantium Back on the Map", *Modern Greek Studies Yearbook* 32/33 (2016/2017), 399—405.
I. Stevović, *Praevalis. Obrazovanje kulturnog prostora kasnoantičke provincije*, Podgorica 2014.
I. Stevović, "The Emperor in the Altar: an Iconoclastic Era Ciborium from Ulcinj (Montenegro)", u: *TEXTS—INSCRIPTIONS—IMAGES, Art Readings, Thematic annual peer—reviewed edition in Art Studies in two volumes, 2016/vol. 1— Old Art*, ur. E. Moutafov, J. Erdeljan, Institute of Art Studies, Bulgarian Academy of Sciences, Sofia 2017, 49—67.
И. Стевовић, „Рана средњовизантијска црква и реликвије светог Трифуна у Котору", *Зоīраф* 41 (2017), 37—50.
И. Стевовић, *Визанūијска црква. Образовање архиūекūонске слике свеūосūи*, Еволута, Београд 2018.
I. Stevović, "Medieval Art and Architecture as an Ideological Weapon: the Case of Yugoslavia", *Проблеми на Изкуството* 2—2018, 3—8.
C. A. Stewart, "The First Vaulted Churches in Cyprus", *Journal of the Society of Architectural Historians*, Vol. 69, No. 2 (June 2010), 162—189.
Y. Stoyanov, "The Sacred Spaces and Sites of the Mediterranean in Contemporary Theological, Anthropological and Sociological Approaches and Debates", u: *Between Cultural Diversity and Common Heritage, Legal and Religious Perspectives on the Sacred Places of the Mediterranean*, ur. S. Ferrari, A. Benzo, Routledge 2016, 25—36.
Strangers to Themselves: The Byzantine Outsider, ur. D. C. Smythe, Aldershot 2000.
Studies on the Internal Diaspora of the Byzantine Empire, ur. H. Ahrweiler, A. E. Laiou, Dumbarton Oaks, Washington D.C. 1998.
P. F. Sugar, *Southeastern Europe under Ottoman Rule, 1354—1804*, University of Washington Press 1996.
Synaxarium ecclesiae Constantinopolitanae e codice Sirmondiano nunc Berolinens ,dur. H. Delehaye. (Propylaeum ad Acta Sanctorum, Novembri), Bruxelles, 1902.
Ј. Тадић, „Дубровчани по јужној Србији у XVI столећу", *Гласник Скоūскоī ученоī друшūва* 7—8 (1930), 197—202.
Ј. Тадић, „Из историје Јевреја у југоисточној Европи", *Јеврејски алманах* 1959—1960, 29—53.
A. B. Talki, *Corfu: History, Monuments, Museums*, Ekdotike Athenon S.A., Athens 1983.
Territories and Trajectories, Cultures in Circulation, ur. H. Bhabha, Duke University Press 2018.
The Balkans and the Byzantine World Before and After the Captures of Constantinople, 1204 and 1453, ur. V. Stanković, Lexington Books 2016.
The economic history of Byzantium: from the Seventh to the Fifteenth Century, ur. A. Laiou, Dumbarton Oaks 2002.
The Holy Portolano. The Sacred Geography of Navigation in the Middle Ages, Fribourg Colloquium 2013, ur. M. Bacci, M. Rohde, Walter de Gruyter GmbH, Berlin/Munich/Boston 2014.
The Inland Seas. Towards an Ecohistory of the Mediterranean and the Black Sea, ur. T. Bekke—-Nielsen, R. Gertwagen, Stuttgart 2016.
The Mediterranean and the Jews. Society, Culture and Economy in Early Modern Times, ur. E.

Horowitz, M. Orfali, Ba—-Ilan University Press, Ramat Gan 2002.
I. Tishby, *Messianic Mysticism. Moses Hayim Luzzatto and the Padua School*, Littman Library of Jewish Civilization, Liverpool University Press 2008.
M. Todorova, "The Balkans: From Discovery to Invention", *Slavic Review*, Vol. 53, No. 2 (1994), 453—482.
M. Todorova, *Imagining the Balkans*, Oxford University Press 1997.
S. Tomin, *Jelena Balšič e le donne nella cultura medievale serba*, Graphe.it, Perugia 2017.
Г. Томовић, „Натпис на цркви Светога Луке у Котору из 1195. године", u: *Црква Светог Луке кроз вјекове, Зборник радова*, 23—32.
Trade and Markets in Byzantium, Dumbarton Oaks Byzantine symposia and colloquia,dur. C. Morisson, Washington D.C. 2012.
Tradition and Transformation: Dissent and Consent in the Mediterranean, Proceedings of the 3rd CEMS International Graduate Conference, ur. M. Mitrea,Solivagu—-Verlag, Kiel 2016.
Transferts. Les relations interculturelles dans l'espace franc—-allemand (XVIIIe—XIXe siècles), ur. M. Espagne, M. Werne., Editions Recherche sur les Civilisations, Paris 1988.
Transkulturelle Verflechtungen. Mediävistische Perspektiven, kollaborativ verfasst von G. Christ, S. Dönitz, D. G. König, Ş. Küçükhüseyin, M. Mersch, B. Mülle—-Schauenburg, U. Ritzerfeld, C. Vogel und J. Zimmermann, Universitätsverlag Göttingen 2016.
Travels and Mobilities in the Middle Ages. From the Atlantic to the Black Sea, ur. M. O'Doherty, F. Schmieder, Brepols, Turnhout 2015.
Р. Самарџић, „Дубровчани у Београду", *Годишњак Музеја града Београда* 2 (1955), 47—94.
Сликар Живко Петровић (1806—1868), каталог изложбе, Спомен-збирка Павла Бељанског, Нови Сад 2001.
T. Stoianovich, *Between East and West: The Balkan and the Mediterranean Worlds*, Vol. 1—4, A. D. Caratzas 1992.
T. Stoianovich, *Balkan Worlds: The First and Last Europe*, Routledge, New York 1994.
Свети Сава, *Сабрана дела*, приредила Љ. Јухас—Георгиеска, Београд 2005, 2017.
Светлост и сенке: култура Срба у Трсту, приредила М. Митровић, Београд 2007.
Т. Суботин—Голубовић, „Свети Лука — Последњи заштитник српске Деспотовине", u: *Чудо у словенским културама*, ур. Д. Ајдачић, Нови Сад 2000, 167—178.
P. van den Ven, *La Légende de S. Spyridon Évêque de Trimithonte*, Louvain 1953.
M. van Gelder, T. Krstić, "Introduction: Cros—-Confessional Diplomacy and Diplomatic Intermediaries in the Early Modern Mediterranean", *Journal of Early Modern History* 19/2—3 (2015), 93—105.
M. Vassilaki, "From the 'Anonymous' Byzantine Artist to the 'Eponymous' Cretan Painter of the Fifteenth Century", u: *The Painter Angelos and Icon Painting in Venetian Crete*, ur. M. Vassilaki, Ashgate 2009, 3—66.
А. Ю. Виноградов, „Введение", u: *Свт. Спиридон Тримифунтский, Кипрский Чудотворец, Агиографическе источники IV—X столетий*, Издание пустыни Новая Фиваида Афоннского Русского Пантелеимонова монастыря, Издательство Санк—-Петербургского университета, Святая гора Афон 2008, Petropoli MMVIII, 1—18.
Visual Culture of the Balkans: State of Research and Further Directions, Abstracts of Papers, ur. N. Makuljević, Faculty of Philosophy, University of Belgrade 2014.
M. Voulgaropoulou, "Cros—-Cultural Encounters in the Twilight of the Republic of Venice: The Church of the Dormition of the Virgin in Višnjeva, Montenegro", *Journal of Modern Greek Studies*, Vol. 36, No. 1, May 2018, 25—69.
A. Vuković, "The epistles of the princess Jelena Balšić: an example of female cultural patronage

in the late medieval Balkans", u: *Female Founders in Byzantium and Beyond*, ur. L. Theis, M. Mullett, M. Grünbart,Böhlau Verlag Gesellschaft m.b.H.KG., Wien—Köln—Weimar 2014, 399—407.

C. Walter, "Icons of the First Council of Nicea", *Deltion tes christianikes arheologikes etaireias*16 (1991—1992), 209—218.

B. Warf, S. Arias, "Introduction. The Reinsertion of Space into the Social Sciences and Humanities", u: *The Spatial Turn. Interdisciplinary Perspectives*, ur. B. Warf, S. Arias, Routledge 2009.

C. J. Whiters, "Place and the 'Spatial Turn'", u: *Geography and in History, Journal of the History of Ideas* 70(4), October 2009, 637—658.

E. R. Wolfson, "Light Through Darkness: The Ideal of Human Perfection in the Zohar", *The Harvard Theological Review* 81 (1988), 73—95.

G. Woolf, "A Sea of Faith?", *Mediterranean Historical Review* 18/2 (2003), 126—141.

L. Zavagno, *Cyprus between Late Antiquity and the early Middle Ages(c. 600—800). An Island in Transition*, Routledge 2017.

N. Zečević, *The Tocco of the Greek Realm. Nobility, Power and Migration in Latin Greece (14th—15th Centuries)*, Central European University Press, Budapest 2016.

A. Ya'ari, *Hebrew Printing in Constantinople* (na hebrejskom), Jerusalem 1967.

B. Yaniv, "From Spain to the Balkans: Textile Torah Scroll Accessories in the Sephardi Communities of the Balkans", *Sefarad* 66 (2006), 407—442.

Imenski registar

The Balkans and the Mediterranean. Cultural Transfer and Visual Culture of the Late Middle Ages and the Early Modern Era

When it comes to the study of visual culture of the three European peninsulas jutting deep into the aquatic expanse of the Mediterranean which constitute, in a manner of speaking, its axial determinants, the (visual) culture of the Balkans is the one least investigated and perceived from the vantage point of its historically proven transculutural interaction and cultural transfer. This sort of methodological approach acknowledges the fact that, in the broader picture, the mobility of ideas, people and objects was conditioned by the dynamics of diplomacy, trade, and politics of the elites in the church and the state, the mode and measure of their incorporation in the visual culture of a given community was determined by the local milieu, not the least along the lines of an approach close to that of geohistory of art. Moreover, along with everything that moved them and imbued them with signification, images and objects of visual culture were filled with a power of their own, the capacity to transform culture. Both art history and anthropology are actively pointing out the social life and impact of things as practically creations with a sense and sensibility of their own. The medieval and the world of the early modern era are replete with objects, ranging from icons and reliquaries to architectural structures, which are not only bearers of religious significance but also points of divine manifestation, points of contact with the eucharistic and eschatological reality. This designates them as vessels, mediators and actors in the power play of political and important factors i.e. subjects of networks of connectivity.

In premodern times, the cultural and visual dimensions of appropriation and reception and interpretation of given cultural models in a given milieu cannot be fully grasped outside the scope and sphere of religion. Therefore, the issue of cultural dynamics of religion and visual culture is highly important in uderstanding the visual culture of a particular mileu or region, the Balkans in this case. The question of *translatio*/transfer and reception lies at the core of this issue – to what measure and in what ways were cults, imagery, iconogaphy, holy objects, materials and forms of visual articulation appropriated and adapted in such "local" milieus. This, in fact, is a question of the function of the visual within a given cultural model which, in turn, is the framework for understanding and interpreting the significance and signification of the visual, a defined avenue of communication among its constituent subjects. Narratives constitute the *fil rouge* and represent the key element of cultural models and processes of cultural integration. At the same time they function as points of both (symbolic) contact and conflict. Thus, they enable the examination of overcoming the borders that delineate different narratives and/or cultural models. These borders and their overcoming, as well as a confluence and synchronicity of several different narratives and cultural models is what defines the cultural dynamics of religioun and visual culture of the Balkans and the Mediterranean in the late medieval and early modern period.

One of the defining and essential characteristics of the Mediterranean world in premodern times is certainly its diversity of identities, and among them of religious identities. The Mediterranean and the Balkans, as its integral part, was, at the same time, both a fragmented and an integrated zone of micro-ecologies and micro-economies which were often inhabited by communities of diverse confessional and ethnic identities with a long history of mutual interaction. Formally speaking, the Mediterranean space can be divided into different spheres: the Christian, the Islamic, and the Jewish, i.e. the Latin, the Greek, the Arabic, the Turkish, the Hebrew, to mention just the ones most frequently listed in historiography. However, regardless of the clearly delineated fields of each mentioned cultural-linguistic-religious identity, there are no strict divisions between them. Along with their individual specificities, it is equally, if not even more important for a holistic understanding of the Mediterranean (and Balkan) cultural space to look into their connections which contribute to bridging the potential gaps between the various confessional, ethnic, and linguistic entities. These links are grounded on a shared approach to religion, philosophy, knowledge, social value systems, created through the mobilities of people, goods, ideas and knowledge throughout this region, as well as by the shared life experiences in this particular geographic milieu. All this contributed towards an easier social and political integration of the different communities and served as a catalyst of cultural syntheses and innovations which overcame and outgrew any and all boundaries of the individual identity groups.

Diversity was an advantage in the complex economic and social world of the Mediterranean. Moreover, cultural dynamics of religion was one of the key integrative elements in the relation between the Balkans and the Mediterranean as well as a crucial link between Europe and the broader Eurasian space. It is precisely this feature of the Balkans, as well as its constant communication and interconnectedness with the Mediterranean, which constitutes it as a space of transultural interaction and exchange which are especially well represented by and within the scope of visual culture of Christian, Islamic, and Jewish communities on its territory. The *longue durée* inter-religious contacts, from the period of Late Antiquity to the end of the early modern era, lie at the core of the specific nature of the Balkans and its relations with the Mediterranean world.

Over the course of the past hundred years, the academic field of Mediterraean studies has been marked, above all, by two seemingly contrasting paradigms. One defines the Mediterranean as a battle field of conflicting civilizations, above all the Christian and the Islamic, while the other relies on concepts of the Mediterranean as a space of interwoven networks of numerous points of contact and exchange. If we were to draw away from the strict delineations and frameworks of these two paradigms and started to pose questions and to question the marked trajectories of scholarly discourse valid in existing historiography, we would be able to note new and different perspectives which would erase the existing divisions between categories such as East and West, the Ottoman and the European, the Islamic and the Christian Mediterranean. This would open the window to a much more nuanced world filled both with conflict and contact, intertwining and coexistence.

Based on the premises of fluidity of borders and liminal spaces, this study presents several chosen and very indicative charismatic images which are highly paradigmatic of the visual culture of the Balkans. They are the product as well as the actors of transcultural contacts and cultural transfer enacted within the scope of cultural dynamics of religion. It focuses on the interaction between the three dominant abrahamic religions with their roots and area of spreading tied initially and primarily to the Mediterranean world, in chronological order of appearance – Judaism, Christianity, and Islam. Of particular interest as a subject of examination of this study is the interaction between the different denominations of the Christian community, the Orthodox and the Catholic, as well as the appearance of crypto (religious) identities, such as that of the crypto Jewish and formally Islamic Shabbatean community.

This study aims to indicate the modes, trajectories and narratives employed in the construction of (visual) identities in the Balkans realised though its constant contact with the Mediterranean world. A particular point of interest is cultural transfer enacted through the circulation of holy or charismatic bodies, of living messianic figures and relics of saints, and their charismatic imagery (icons and symbolic visual markers of identity). Visual cross-referencing between the various above mentioned identities and different readings of the common and shared repertoire of imagery is one of the main issues discussed in this study. One of the intentions of this text is to contribute to the process of reconfiguring of the official narrative of history of art of the medieval and early modern era by taking into consideration the actual historical realities of cultural pluralism as well as of a various crypto identities, the heterotopia and heteroglossia of the Balkans in premodern times. With such intentions and as indicative charismatics images, this text investigates and presents the modes of reception, transformation and pertaining visualisation of the cult of Saint Spyridon as a prime example of interaction and cultural transfer between athe Orthodox and the Catholic identities in the Balkans and the Mediterranean. It also focuses on the personage of Shabbatai Sevi, the Jewish messiah of the XVII century, and the modes of visualization of his Jewish and Islamic hypostasis, as well as the crypto Jewish and formally Islamic (visual) identity of the Shabbatean community in the Balkans. Charismatic imagery and the imagology related to Saint Spyridon and Shabbatai Sevi, two hallowed personages who literally arrived to the Balkans from the Mediterranean, are regarded within the coordinates of a concept of *lieu de memoire* which takes into consideration not only the physical but also to the metaphorical space which encompasses both the personages, events, memorial practices, and their pertaining visual culture.

O AUTORKI

Jelena Erdeljan je rođena 1965. godine u Beogradu. Školovala se u rodnom gradu i Kairu, Arapska Republika Egipat. Na Odeljenju za istoriju umetnosti diplomirala je 1989. godine i odbranila doktorsku disertaciju 2008. godine. Zaposlena je na Filozofskom fakultetu Univerziteta u Beogradu od 1991. godine, gde na Odeljenju za istoriju umetnosti predaje na predmetima Antička umetnost, Ranohrišćanska i ranovizantijska umetnost, Umetnost ranog srednjeg veka u Vizantiji i Zapadnoj Evropi, Opšta istorija umetnosti srednjeg veka, kao i brojnim izbornim predmetima i predmetima na master i doktorskim studijama. Na akademskim master studijama Religija u društvu, kulturi i evropskim integracijama pri Univerzitetu u Beogradu profesor je na predmetu Judaizam. U dva mandata obavljala je dužnost prodekana za nauku i međunarodnu saradnju Filozofskog fakulteta Univerziteta u Beogradu. Osnovala je i bila prvi upravnik Centra za međunarodnu saradnju i odnose s javnošću Filozofskog fakulteta u Beogradu. Osnivač je i upravnik Centra za studije jevrejske umetnosti i kulture Filozofskog fakulteta u Beogradu. Predsedavajući je član akademskog veća Centra za kiparske studije i član akademskog veća Centra za vizuelnu kulturu Balkana i Centra za kineske studije Filozofskog fakulteta u Beogradu. Bila je autor i izvršni koordinator TEMPUS projekta „Understanding the Visual Culture of the Balkans" koji je realizovan na Odeljenju za istoriju umetnosti Filozofskog fakulteta u Beogradu u saradnji sa univerzitetima u Beču, Atini i Janjini. Urednik je zbornika radova *Menora* i član redakcije časopisa *Zograf, Zbornik radova Narodnog muzeja u Beogradu. El Prezente* (Moshe David Gaon Center, Ben Gurion University of the Negev) i saradnik časopisa *Speculum*, koji objavljuje Medieval Academy of America. Bila je član organizacionih i naučnih odbora više međunarodnih naučnih skupova u zemlji i inostranstvu. Član je Odeljenja za likovne umetnosti Matice srpske i alumni kluba Univerziteta u Konstancu, Nemačka. Odlikovana je ordenom Kavaljera del Ladino za razvoj i unapređenje sefardskih studija. Objavila je više studija u domaćoj i stranoj periodici, tematskim zbornicima i zbornicima sa međunarodnih naučnih skupova, kao i četiri monografske studije, među kojima i *Chosen Places. Constructing New Jerusalems in Slavia Orthodoxa* (Brill 2017), te više desetina prevoda stručnih i naučnih tekstova, kao i dve monografije, sa srpskog na engleski jezik.

Sadržaj

CIP - Каталогизација у публикацији
Народна библиотека Србије, Београд

930.85(497)"04/16"
72(497)"04/16"
930.85(4/6)"04/16"
72(4/6)"04/16"
94(4-12)"04/16"

ЕРДЕЉАН, Јелена, 1965-
Balkan i Mediteran : kulturni transfer i vizuelna kultura u srednjovekovno i rano moderno doba / Jelena Erdeljan. - Beograd : Evoluta, 2019 (Beograd : Publish). - 176 str. : ilustr. ; 23 cm. - (Biblioteka Polihistor ; knj. 24)

Tiraž 500. - Str. 147-148: Mediteran prelomljen preko Balkana / Vlada Stanković. - O autorki: str. 173. - Napomene i bibliografske reference uz tekst. - Bibliografija. str. 149-161. - Registar. - [Summary] : The Balkans and the Mediterranean. Cultural Transfer and Visual Culture of the Late Middle Ages and the Early Modern Era.

ISBN 978-86-80912-30-1

а) Визуелна култура -- Балканске државе -- 5в-17в б) Архитектура -- Балканске државе -- 5в-17в в) Визуелна култура -- Медитеран -- 5в-17в г) Архитектура -- Медитеран -- 5в-17в д) Југоисточна Европа -- 5в-17в

COBISS.SR-ID 276772108

Jelena Erdeljan
Balkan i Mediteran

Za izdavača
Bojana Ćebić

Likovni urednik
Dušan Šević

Lektorka
Tatjana Pivnički Drinić

Štampa
Publish, Beograd

Tiraž
500

Evoluta 2019.

ISBN 978-86-80912-24-0